APPROXIMATION UNIFORME QUALITATIVE SUR DES ENSEMBLES NON BORNÉS

Notes du cours de Monsieur Walter Hengartner à la vingtième session du Séminaire de mathématiques supérieures/Séminaire scientifique OTAN (ASI 81/62), tenue au Département de mathématiques et de statistique de l'Université de Montréal du 3 au 21 août 1981. Cette session avait pour titre général « La théorie des fonctions : approximation et aspects géométriques » et était placée sous les auspices de l'Organisation du Traité de l'Atlantique Nord, du ministère de l'Éducation du Québec, du Conseil de recherches en sciences naturelles et en génie Canada et de l'Université de Montréal.

SÉMINAIRE DE MATHÉMATIQUES SUPÉRIEURES
SÉMINAIRE SCIENTIFIQUE OTAN (NATO ADVANCED STUDY INSTITUTE)
DÉPARTEMENT DE MATHÉMATIQUES ET DE STATISTIQUE — UNIVERSITÉ DE MONTRÉAL

APPROXIMATION UNIFORME QUALITATIVE SUR DES ENSEMBLES NON BORNÉS

PAUL M. GAUTHIER

Université de Montréal

et

WALTER HENGARTNER

Université Laval, Québec

1982

LES PRESSES DE L'UNIVERSITÉ DE MONTRÉAL

C.P. 6128, succ. «A», Montréal, Qué. Canada   H3C 3J7

ISBN 2-7606-0574-4

DÉPÔT LÉGAL — 2ᵉ TRIMESTRE 1982 — BIBLIOTHÈQUE NATIONALE DU QUÉBEC

Tous droits de reproduction, d'adaptation ou de traduction réservés

© Les Presses de l'Université de Montréal, 1982

Dans ce cours, nous donnons un aperçu de quelques résultats dans le domaine de l'approximation qualitative analytique et harmonique. Il s'agit de trouver des conditions qui garantissent la possibilité d'approximation, sans la construire et sans s'occuper de sa vitesse de convergence. De plus, nous nous limitons au cas de la convergence localement uniforme. Plus précisément, nous allons développer des résultats correspondant aux deux théorèmes fondamentaux de Runge et de Mergelyan pour les ensembles fermés d'une surface de Riemann (Chapitre 1) et au cas de l'approximation harmonique, même pour les ensembles fermés d'un domaine de R^n, $n \geq 2$ (Chapitre 2). La méthode utilisée est basée essentiellement sur la construction d'un lemme de fusion approprié.

TABLE DES MATIÈRES

Chapitre 1 APPROXIMATION HOLOMORPHE SUR UN ENSEMBLE FERMÉ

    1.1 Introduction 11

    1.2 Le lemme de fusion d'Alice Roth 13

    1.3 Approximation uniforme par des fonctions méromorphes ou holomorphes . 22

Chapitre 2 APPROXIMATION UNIFORME HARMONIQUE SUR DES ENSEMBLES FERMÉS

    2.1 Introduction 48

    2.2 Lemmes de fusion 56

    2.3 Théorème d'approximation harmonique sur les ensembles fermés 77

BIBLIOGRAPHIE 85

Chapitre 1
APPROXIMATION HOLOMORPHE SUR UN ENSEMBLE FERMÉ

1.1. Introduction

Soit F un ensemble fermé d'une surface de Riemann ouverte R. Notons par

$C(F)$ = l'ensemble des *fonctions continues* sur F,

$H(F)$ = l'ensemble des *fonctions holomorphes* sur F,

$M(F)$ = l'ensemble des *fonctions méromorphes* sur F,

$M_F(F)$ = l'ensemble des *fonctions méromorphes sur R sans pôles dans* F.

$A(F) = C(F) \cap H(F^0)$.

De plus, $\overline{H(R)}^F$ (respectivement $\overline{M(R)}^F$, $\overline{M_F(R)}^F$) signifie la fermeture de $H(R)$ (respectivement $M(R)$, $M_F(R)$) par rapport à la topologie uniforme sur F.

DÉFINITION (1.1.1): Nous disons qu'un problème d'approximation est de *type Runge* si on étudie le cas:

$$H(F) \stackrel{?}{\subset} \overline{H(R)}^F \quad \text{ou} \quad H(F) \stackrel{?}{\subset} \overline{M_F(R)}^F \quad \text{ou} \quad M(F) \stackrel{?}{\subset} \overline{M(R)}^F$$

et il est de *type Walsh* si on étudie le cas

$$A(F) \stackrel{?}{=} \overline{H(R)}^F \quad \text{ou} \quad A(F) \stackrel{?}{=} \overline{M_F(R)}^F \quad \text{ou} \quad A(F) \stackrel{?}{=} \overline{H(F)}^F .$$

EXEMPLES (1.1.2): 1) Mentionnons d'abord deux résultats se rapportant à l'approximation du type Runge:

a) THÉORÈME de Runge (1885): *Soit Ra l'ensemble des fonctions rationnelles. Alors, pour tout ensemble compact K de $\overline{C}$, on a* $M(K) \subset \overline{Ra}^K$.

b) THÉORÈME de type Runge (Behnke-Stein (1949); Köditz-Timmann (1975)): *Soit K un ensemble compact d'une surface de Riemann R. Alors* $M(K) \subset \overline{M(R)}^K$.

Behnke-Stein ont démontré ce théorème pour les surfaces de Riemann ouvertes et Köditz-Timmann pour les surfaces compactes.

2) Résultats portant sur l'approximation de type Walsh:

a) THÉORÈME de Mergelyan (1952): *Soit K un ensemble compact de C. Alors* $A(K) = \overline{H(C)}^K$ *si et seulement si* $C \backslash K$ *est connexe.*

b) THÉORÈME de Mergelyan-Bishop (1958): *Soit K un ensemble compact d'une surface de Riemann ouverte R. Alors* $A(K) = \overline{H(R)}^K$ *si et seulement si* $R^* \backslash K$ *est connexe.*

DÉFINITION (1.1.3): Soit $f \in A(F)$. Nous disons que f *peut être approchée au sens de Carleman* si pour toute fonction $\varepsilon(z)$ continue et positive sur F, il y a une fonction $g \in H(R)$ (respectivement $M(R)$) telle que $|f(z) - g(z)| < \varepsilon(z)$ pour tout $z \in F$. De plus, F est un *ensemble de Carleman* si chaque $f \in A(F)$ admet une approximation au sens de Carleman, par des fonctions dans $H(R)$ (respectivement $M_F(R)$).

EXEMPLE (1.1.4): Selon le théorème de Carleman (1927), **C** est un ensemble de Carleman par rapport à $H(\mathbf{C})$.

Mentionnons une application élémentaire:

APPLICATION (1.1.5) (Nevanlinna, 1925): *Soit f une fonction continue à valeurs réelles sur $\mathbb{R}$. Alors il existe une fonction harmonique h sur $D = \{z; \text{Im } z > 0\}$ telle que $\lim_{\substack{z \in D \\ z \to x \in \mathbb{R}}} h(z) = f(x)$ pour tout $x \in \mathbb{R}$.*

DÉMONSTRATION (Kaplan, 1955): Prenons $\varepsilon(x) = e^{-x^2}$. D'après (1.1.4) il existe $F \in H(\mathbb{C})$ telle que

$$|f(x) - \text{Re } F(x)| \leq |f(x) - F(x)| < \varepsilon(x)$$

pour tout $x \in \mathbb{R}$. En posant

$$h_1(z) = \frac{1}{i\pi} \int_{-\infty}^{\infty} \frac{f(x) - \text{Re } F(x)}{|x-z|^2} dx ,$$

la fonction $h(z) = h_1(z) + \text{Re } F(z)$ possède la propriété désirée.

1.2. Le lemme de fusion d'Alice Roth

Ce lemme est la base fondamentale dans la théorie de l'approximation complexe sur les ensembles fermés.

LA FORMULE DE POMPEIU (1.2.1): *Soit $\phi \in C'(\mathbb{R}^2)$ à valeurs complexes et à support compact. Alors*

$$\phi(z) = -\frac{1}{\pi} \int_{\mathbb{R}^2} \frac{1}{\zeta - z} \frac{\partial \phi(\zeta)}{\partial \bar{\zeta}} d\xi d\eta \text{ pour tout } z \in \mathbb{R}^2 ,$$

où $\zeta = \xi + i\eta$ et $\frac{\partial \phi}{\partial \bar{\zeta}} = \left(\frac{\partial \phi}{\partial \xi} + i \frac{\partial \phi}{\partial \eta}\right)/2$.

On obtient cette formule directement par la formule de Green appliquée à $D = \{\zeta; \varepsilon < |\zeta - z| < \rho\}$, ρ assez grand, et en passant à la limite $\varepsilon \to 0$.

COROLLAIRE (1.2.2): *Soient* $f \in C(\mathbb{R}^2)$ *et* $\phi \in C'(\mathbb{R}^2)$ *à support compact* K. *Alors l'opérateur de Vitushkin*

$$F(z) = \frac{1}{\pi} \int_{\mathbb{R}^2} \frac{f(\zeta)-f(z)}{\zeta-z} \frac{\partial \phi(\zeta)}{\partial \overline{\zeta}} d\xi d\eta$$

a les propriétés suivantes:

1) $F \in C(\mathbb{R}^2)$ *et* $\lim_{z \to \infty} F(z) = 0$.
2) $F \in H(\overline{\mathbb{C}} \setminus K)$.
3) *Si* $f \in H(D)$ *pour un domaine* D *de* $\mathbb{C}$, *alors* $F \in H(D)$.
4) $\|F\|_{\mathbb{R}^2} \leq 2d \cdot \omega(d,f) \cdot \|\frac{\partial \phi}{\partial \overline{\zeta}}\|_{\mathbb{R}^2}$ *où* d *est le diamètre de* K *et*

$$\omega(d,f) = \sup_{\substack{|z_1-z_2| \leq d \\ z_1, z_2 \in \mathbb{R}^2}} |f(z_1) - f(z_2)|$$

est le module de continuité de f.

La démonstration découle directement de la définition de F et de la formule de Pompeiu qui nous donne

$$F(z) = f(z)\phi(z) + g(z) ,$$

où

$$g(z) = \frac{1}{\pi} \int_{\mathbb{R}^2} \frac{f(\zeta)}{\zeta-z} \frac{\partial \phi}{\partial \overline{\zeta}} d\xi d\eta .$$

THÉORÈME (1.2.3) (Lemme de fusion de A. Roth, 1976): *Soient* K_1, K_2 *et* K *trois ensembles compacts dans* $\overline{\mathbb{C}}$ *tel que* $K_1 \cap K_2 = \emptyset$.

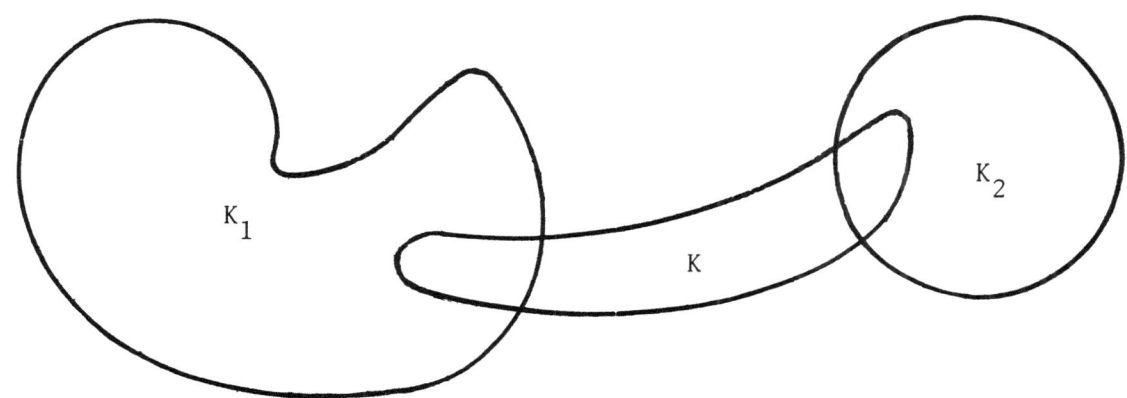

Alors il existe une constante A ne dépendant que de K_1 et de K_2, telle que si $r_1 \in Ra$, $r_2 \in Ra$ et $\|r_1 - r_2\|_K < \varepsilon$, on a une fonction rationnelle $r(z)$ vérifiant

$$\|r - r_i\|_{K_i \cup K} \leq A \cdot \varepsilon, \quad i = 1, 2.$$

REMARQUES: 1. Sans perte de généralité, on peut supposer que $\infty \in K_2$ et que $0 < \|r_1 - r_2\|_K < \infty$ (appliquer le théorème de Runge).

2. Il suffit de montrer le lemme pour $r_2 \equiv 0$. En effet, si $\tilde{r}$ satisfait à

$$\|\tilde{r}_1 - \tilde{r}\|_{K_1 \cup K} \leq A \|\tilde{r}_1\|_K \quad \text{et} \quad \|\tilde{r}\|_{K_2 \cup K} \leq A \|\tilde{r}_1\|_K,$$

alors, pour $r = \tilde{r} + r_2$, $r_1 = \tilde{r}_1 + r_2$, on a

$$\|r - r_1\|_{K_1 \cup K} \leq A \|r_1 - r_2\|_K \quad \text{et} \quad \|r - r_2\|_{K_2 \cup K} \leq A \|r_1 - r_2\|_K.$$

3. Si $K \cap K_2 = \emptyset$, le lemme découle directement du théorème de Runge. En effet, posons

$$f(z) = \begin{cases} r_1(z) & \text{si } z \in K_1 \cup K \\ r_2(z) & \text{si } z \in K_2. \end{cases}$$

Alors $f \in M(K_1 \cup K_2 \cup K)$ et il existe, d'après le théorème de Runge, une fonction rationnelle r telle que

$$\|f - r\|_{K_1 \cup K \cup K_2} \leq \|r_1 - r_2\|_K = \varepsilon \; ;$$

r satisfait donc au lemme avec $A = 3$ puisque

$$\|f - r\|_{K \cup K_2} \leq \|r - r_2\|_{K_2} + \|r_2 - r_1\|_K + \|r - r_1\|_K < 3\|r_1 - r_2\|_K \; .$$

4. Le lemme ne se généralise pas au cas où $K_1 \cap K_2 \neq \emptyset$ et $K = K_1 \cap K_2$. (P. Gauthier.) Mais si $K_1 \cap K_2 \neq \emptyset$ et si K est un voisinage

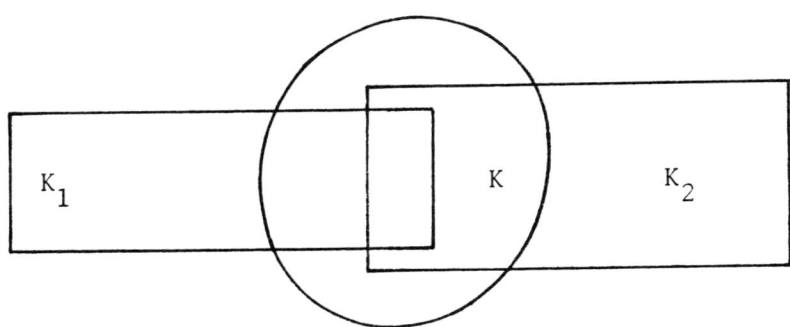

de $K_1 \cap K_2$, alors nous avons un lemme de fusion qui correspond aux problèmes d'approximation de Runge.

DÉMONSTRATION: Supposons que $r_2 \equiv 0$, $r_1 \not\equiv 0$, $0 < \|r_1\|_K < \infty$ et $\infty \in K_2$. Nous choisissons d'abord des voisinages U_1, U_2 et U de K_1, K_2 et K tels que

a) $\overline{U}_1 \cap \overline{U}_2 = \emptyset$,

b) ∂U_1, ∂U_2 et $\partial U \in C'$,

c) $\|r_1\|_U \leq 2\|r_1\|_K$

et posons $E = \mathbb{C} \setminus (U_1 \cup U_2)$.

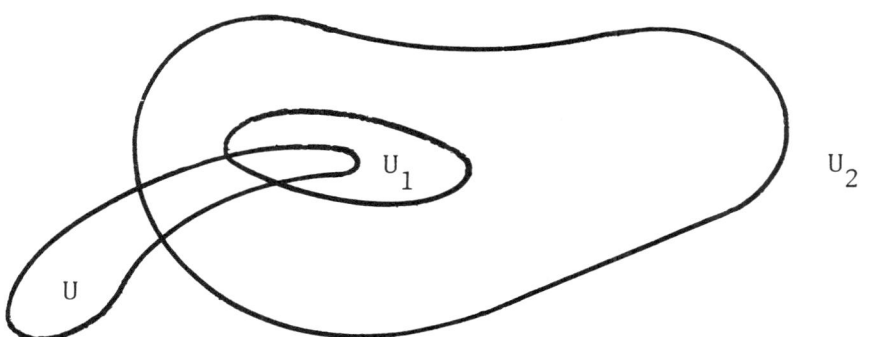

Nous étendons $r_1|_{\overline{U} \cap E}$ comme fonction continue ϕ sur E telle que $\|\phi\|_E \leq 2\|r_1\|_K$ et nous posons

$$f(z) = \begin{cases} \phi(z); & \text{si } z \in E \\ r_1(z); & \text{si } z \in \mathbf{C} - E. \end{cases}$$

De plus, soit $H \in C^{\infty}(\mathbf{C})$ telle que $H|_{U_1} \equiv 1$, $H|_{U_2} \equiv 0$ et $0 \leq H(z) \leq 1$ pour tout $z \in \mathbf{C}$. Alors nous avons pour tout $z \in \mathbf{C}$:

$$\int_{\mathbf{C}} |\frac{1}{\zeta-z}| |\frac{\partial H}{\partial \overline{\zeta}}| d\xi d\eta = \int_E |\frac{1}{\zeta-z}| |\frac{\partial H}{\partial \overline{\zeta}}| d\xi d\eta$$

$$\leq \|\frac{\partial H}{\partial \overline{\zeta}}\|_E \int_E \frac{d\xi d\eta}{|\zeta-z|} \leq 2\pi \|\frac{\partial H}{\partial \overline{\zeta}}\|_E \text{diam}(E) = A_1,$$

parce que pour $\zeta = z + re^{i\phi}$,

$$\int_E \frac{1}{|\zeta-z|} d\xi d\eta = \int_{\zeta \in E} dr d\phi.$$

Remarquons que la constante A_1 ne dépend que de K_1 et K_2 (respectivement, du choix de U_1 et U_2).

Considérons maintenant

$$F(z) = \frac{1}{\pi}\int_C \frac{f(\zeta)-f(z)}{\zeta-z} \frac{\partial H}{\partial \overline{\zeta}} d\xi d\eta = \frac{1}{\pi}\int_E \frac{f(\zeta)-f(z)}{\zeta-z} \frac{\partial H}{\partial \overline{\zeta}} d\xi d\eta$$

$$= f(z)H(z) + g(z)$$

où

$$g(z) = \frac{1}{\pi}\int_E \frac{f(\zeta)}{\zeta-z} \frac{\partial H}{\partial \overline{\zeta}} d\xi d\eta .$$

Alors $F \in M(K_1 \cup K_2 \cup K)$ n'a pas de pôles sur $K \cup K_2$. De plus, nous avons

a) $\|F - r_2\|_{K_2} = \|F\|_{K_2} = \|g\|_{K_2} \leq \|f\|_E \cdot A_1 \leq 2A_1 \|r_1\|_K = A_2 \|r_1\|_K$,

b) $\|F - r_2\|_K = \|F\|_K \leq \|f\|_K + \|g\|_K \leq \|r_1\|_K + 2A_1\|r_1\|_K = A_3\|r_1\|_K$,

c) $\|F - r_1\|_K \leq \|(H-1)r_1\|_K + \|g\|_K \leq 2\|r_1\|_K + 2A_1\|r_1\|_K = A_4\|r_1\|_K$,

d) $\|F - r_1\|_{K_1} = \|g\|_{K_1} \leq \|f\|_E A_1 \leq A_2\|r_1\|_K$.

Donc F satisfait aux inégalités désirées. D'après le théorème de Runge, il existe une fonction rationnelle $r_3(z)$ telle que $\|F - r_3\|_{K_1 \cup K_2 \cup K} \leq \|r_1\|_K$ et r_3 satisfait au lemme de fusion.

Dans ce qui suit, nous étendons le lemme de fusion aux surfaces de Riemann.

Soit R une surface de Riemann ouverte. Sans perte de généralité, on peut supposer que R est connexe. Un ensemble E de R est borné si $\overline{E}$ est compact. De plus, une surface R' est une extension de R si R est conformément équivalent à un sous-ensemble ouvert de R'. Si $\overline{R} \neq R'$, nous appelons cette extension *essentielle*.

THÉORÈME (1.2.4) (Lemme de fusion de P. Gauthier, 1979): *Soient* K_1, K_2 *et* K *des ensembles compacts d'une surface de Riemann arbitraire* R *tels que* $K_1 \cap K_2 = \emptyset$ *et* $K \cup K_1 \cup K_2 \neq R$. *Alors il existe une constante* A *ne dépendant que de* K_1, K_2 *et* K *telle que pour chaque* $m_1 \in M(R)$ *et* $m_2 \in M(R)$ *avec* $\|m_1 - m_2\|_K < \varepsilon$, *on ait un* $m \in M(R)$ *vérifiant*

$$\|m - m_i\|_{K_i \cup K} \leq A \cdot \varepsilon, \quad i = 1, 2.$$

DÉMONSTRATION: Pour appliquer la démonstration de A. Roth, il nous faut d'abord définir le noyau de Cauchy. En utilisant des techniques de Behnke et Stein, Gunning et Narasimhan (1967) ont montré qu'on peut visualiser chaque surface de Riemann ouverte d'une manière très concrète. En effet, R admet une fonction holomorphe et localement injective $\rho: R \to \mathbb{C}$. Soient donc p_1 et p_2 deux points sur R et notons par R_z, R_ζ des copies de R au-dessus des plans $\mathbb{C}_z$ et $\mathbb{C}_\zeta$; i.e.

$$\rho \times \rho: R_z \times R_\zeta \to \mathbb{C}_z \times \mathbb{C}_\zeta$$
$$(p_1, p_2) \to (z, \zeta)$$

qui envoie un couple de points p_1 et p_2 dans R sur le couple $(z, \zeta) = (\rho(p_1), \rho(p_2))$. Considérons maintenant le recouvrement de $R \times R$ par $\{U(p_1, p_2) = D(p_1) \times D(p_2)\}$ où $D(p)$ est un disque autour de p tel que $\rho|_{D(p)}$ est univalente. Pour chaque $U(p_1, p_2)$, nous posons

$$F_U(p,q) = \begin{cases} \dfrac{1}{\rho(p)-\rho(q)} = \dfrac{1}{z-\zeta} & \text{si } D(p_1) \cap D(p_2) \neq \emptyset \\ 0 & \text{autrement} \end{cases}$$

De plus, puisque $R \times R$ est une variété de Stein, on peut résoudre le premier problème de Cousin, i.e. il existe F méromorphe sur $R \times R$

tel que $F|_{U(p_1,p_2)} - F_U \in H(U)$ et dont les singularités se trouvent sur la diagonale. Dans un voisinage d'un point de la diagonale, on a aussi

$$F(p,q) - \frac{1}{\rho(p)-\rho(q)} \in H(U(p_1,p_2)) ,$$

ce qui veut dire que, dans les coordonnées locales,

$$F(z,\zeta) - \frac{1}{z-\zeta} \quad \text{est holomorphe,}$$

où $F(z,\zeta)$ signifie $F((\rho \times \rho)^{-1}(z,\zeta)) = F(p,q)$.

Remarquons que cette notation est invariante par rapport à un changement local des cartes, dans l'atlas, données par $\rho \times \rho$. Puisque $\text{Res}_z F(z,\cdot) \equiv 1$, il est raisonnable d'appeler F un noyau de Cauchy.

Soit d'abord R une surface de Riemann ouverte. Dans ce cas, nous procédons de manière analogue à la démonstration précédente. Nous supposons donc que $K_1 \cap K \neq \emptyset$ et $K_2 \cap K \neq \emptyset$ et nous considérons des voisinages U_1, U_2 et U de K_1, K_2 et K tels que a) $\overline{U}_1 \cap \overline{U}_2 = \emptyset$; b) ∂U_1 et ∂U_2 sont des réunions finies de courbes de Jordan dans C'; c) $R \setminus U_2$ est précompact. Notons par G un voisinage précompact de $(R \setminus U_2) \cup K_1 \cup K$ et soit $E = R \setminus (U_1 \cup U_2)$. Alors

$$I(z) = \int_E |F(z,\zeta)| d\xi d\eta, \quad \zeta = \xi + i\eta$$

est uniformément borné pour tout $z \in G$. De plus, soit $H \in C^\infty(R)$ tel que $H|_{U_1} \equiv 1$, $H|_{U_2} \equiv 0$ et $|H(p)| \leq 1$ pour tout $p \in R$. Comme dans la démonstration de (1.2.3), il existe une constante A_1 telle que

$$\int_E |F(z,\zeta)| \left|\frac{\partial H}{\partial \overline{\zeta}}(\zeta)\right| d\xi d\eta \leq A_1$$

pour tout $z \in G$.

On construit maintenant de la même manière qu'auparavant une fonction méromorphe sur $U \cup U_1 \cup U_2$ qui a les propriétés désirées. Finalement nous appliquons le théorème de Behnke-Stein (1.1.2) pour obtenir la fonction m cherchée.

Soit R une surface de Riemann compacte. Puisque $K \cup K_1 \cup K_2 \neq R$, nous pouvons choisir $p_0 \in R\setminus(K \cup K_1 \cup K_2)$ et nous notons $R_0 = R\setminus\{p_0\}$. Soit $A > 0$ une constante qui vérifie le lemme de fusion p.r. à K_1, K_2, K et R_0. En d'autres mots: pour tout m_1 et $m_2 \in M(R_0)$ avec $\|m_1 - m_2\|_K < \varepsilon$ on a un $m_0 \in M(R_0)$ tel que

$$\|m_0 - m_1\|_{K_1 \cup K} \leq A \cdot \varepsilon \quad \text{et} \quad \|m_0 - m_2\|_{K_2 \cup K} \leq A \cdot \varepsilon.$$

D'après le théorème de Köditz-Timmann (1.1.2), il existe $m \in M(R)$ telle que $\|m - m_0\|_{K \cup K_1 \cup K_2} \leq \varepsilon$, ce qui complète la démonstration.

REMARQUE (1.2.5): Le lemme de fusion n'est pas valable pour les surfaces de Riemann compactes (sauf $R = \overline{\mathbb{C}}$), si $K_1 \cup K_2 \cup K = R$. Comme exemple, considérons un tore $R = T$ et prenons $K_1 = \{|z - z_0| \leq \varepsilon_1\}$, $K_2 = T\setminus\{|z - z_0| < \varepsilon_2\}$ et $K = \{z; \varepsilon_1 \leq |z - z_0| \leq \varepsilon_2\}$, où $\varepsilon_2 > \varepsilon_1 > 0$ sont donnés. Soient $f_1 \in m(R)$ ayant sur K_1 un seul pôle simple en z_0 et $f_2 \equiv 0$. Or toute fonction $f \in M(T)$ qui satisfait au lemme de fusion aurait un seul pôle d'ordre 1 en z_0 dans T, ce qui est impossible puisque sur un parallélogramme représentant T, il faut avoir $\sum \text{Res } f = 0$.

Dans le paragraphe suivant, nous donnerons deux applications fondamentales du lemme de fusion.

1.3. Approximation uniforme par des fonctions méromorphes ou holomorphes

Rappelons que le théorème de Runge dit que $M(K) \subset \overline{Ra}^K$ pour tout ensemble compact K de $\overline{\mathbb{C}}$. Cela ne reste plus vrai si on remplace K par un ensemble fermé F d'un domaine D de $\mathbb{C}$, ou si on remplace $M(K)$ par $A(K)$.

EXEMPLE (1.3.1): La fonction

$$f(z) = \sum_{n=2}^{\infty} 2^{-n} \cdot \frac{1}{z-n} \in H(F)$$

où $F = \mathbb{C} \setminus \bigcup_{n=2}^{\infty} \{z; |z-n| < 2^{-n}\}$. S'il existait une fonction $r \in Ra$ telle que $\|f - r\|_F < 1/2$, on aurait, par le principe du module maximum, que

$$\|(z - n_0) \cdot (f - r)\|_{K_{n_0}} < 2^{-n_0 - 1}, \quad \text{où} \quad K_{n_0} = \{z; |z - z_0| \leq 2^{-n_0}\},$$

pour tout $n_0 \in \mathbb{N}$ pour lequel $r|_{K_{n_0}}$ n'a pas de pôle. Donc pour $z = n_0$:
$2^{-n_0} < 2^{-n_0 - 1}$.

EXEMPLE (1.3.2): Un autre exemple, dû à A. Roth (1938), est le fameux exemple du fromage suisse. On enlève du disque unité fermé $\overline{U}$ des disques ouverts $D(z_i, r_i) \subset U$ mutuellement disjoints tels que

$$\sum_{i=1}^{\infty} r_i < \infty, \quad \sum_{i=1}^{\infty} r_i^2 < 1$$

et

$$K^0 = (\overline{U} \setminus \bigcup_{i=1}^{\infty} D(z_i, r_i))^0 = \emptyset.$$

Alors $A(K) = C(K) \neq \overline{Ra}^K$. En effet, soit $f(z) = \overline{z}$. Alors

$$\int_{\partial K} \overline{z}\,dz = 2i \cdot [\text{aire}(K)] = 2i\pi(1 - \sum r_i^2) \neq 0.$$

Mais pour toute fonction rationnelle r sans pôle sur K, nous avons $\int_{\partial K} r(z)\,dz = 0$. On serait tenté de penser que $A(K) \neq \overline{Ra}^K$ chaque fois que le domaine a une infinité de trous. Mais ce n'est pas vrai (voir exemple (1.3.8)).

Une première application du lemme de fusion donne un critère pour qu'une fonction $f \in A(K)$ puisse être approchée par une fonction rationnelle sur K. (Voir A. Roth (1973).)

THÉORÈME (1.3.3) (Théorème de localisation de Bishop): *Soit K un ensemble compact de $\mathbf{C}$. Alors $f \in \overline{Ra}^K$ si et seulement si pour n'importe quel recouvrement de K par des ouverts O_i, $i \in I$, on a $f|_{K \cap \overline{O}_i} \in \overline{Ra}^{K \cap \overline{O}_i}$ pour tout $i \in I$.*

DÉMONSTRATION: On voit facilement que la condition est nécessaire. Supposons donc que $f|_{K \cap \overline{O}_i} \in \overline{Ra}^{K \cap \overline{O}_i}$ pour tout $i \in I$. Pour chaque $z \in K$, nous choisissons un disque $D(z, \delta_z)$ de centre z et de rayon δ_z tel que $D(z, 2\delta_z)$ soit dans un des ouverts O_i. D'autre part, il y a un nombre fini de ces disques $D_j = D(z_j, \delta_{z_j})$, $1 \leq j \leq n$, qui recouvrent K. En appliquant le lemme de fusion ou le théorème de Runge, nous allons obtenir, par récurrence que

$$(*) \qquad f|_{K_m} \in \overline{Ra}^{K_m}, \quad \text{où } K_m = K \cap \left[\bigcup_{j=1}^{m} \overline{D}_j\right], \ 1 \leq m \leq n.$$

Pour $m = 1$, (*) est satisfait parce que $\overline{D}_1$ est dans un des ouverts O_i. Supposons maintenant que (*) a déjà été montré pour $k = m$ et montrons-le pour $k = m + 1$. D'abord il existe

$$r_1 \in Ra \quad \text{telle que} \quad \|r_1 - f\|_{K_m} < \varepsilon$$

et

$$r_2 \in Ra \quad \text{avec} \quad \|r_2 - f\|_{\overline{D(z_{m+1}, 2\delta_{z_{m+1}})} \cap K} < \varepsilon.$$

Nous posons maintenant

$$\hat{K}_1 = [(\bigcup_{j=1}^{m} \overline{D_j}) \setminus D(z_{m+1}, 2\delta_{z_{m+1}})] \cap K \,;$$

$$\hat{K}_2 = \overline{D}_{m+1} \cap K \,;$$

$$\hat{K} = [\bigcup_{j=1}^{m} \overline{D_j}] \cap \overline{D(z_{m+1}, 2\delta_{z_{m+1}})} \cap K.$$

D'après le lemme de fusion (ou le théorème de Runge, si $\hat{K} = \emptyset$), il existe une constante A' indépendante de r_1 et r_2 et une fonction $r \in Ra$ telles que

$$\|r - r_1\|_{\hat{K}_1 \cup \hat{K}} < 2A\varepsilon \quad \text{et} \quad \|r - r_2\|_{\hat{K} \cup \hat{K}_2} < 2A\varepsilon$$

et nous avons $\|f - r\|_{K_{m+1}} \leq [2A + 1]\varepsilon$, ce qui montre (*) pour $k = m + 1$ et donc le théorème.

Pour une surface de Riemann ouverte, nous obtenons de manière analogue:

THÉORÈME (1.3.4) (Théorème de localisation de Kodama, 1965): *Soit f donnée sur un ensemble compact K d'une surface de Riemann arbitraire R. Alors*

$f \in \overline{M(R)}^K$ si et seulement si pour tout $p \in R$ on a un disque paramétrique D_p avec centre p tel que

$$f|_{\overline{D}_p \cap K} \in \overline{M(R)}^{\overline{D}_p \cap K}.$$

Kodama a énoncé son théorème pour les surfaces de Riemann ouvertes, mais le cas des surfaces compactes découle facilement de celui des surfaces ouvertes en utilisant le théorème de Köditz-Timman (1.1.2). Une deuxième application du lemme de fusion est le théorème suivant de A. Roth.

THÉORÈME (1.3.5) (A. Roth, 1976): *Soit F un ensemble fermé d'un domaine D de $\mathbb{C}$. Une fonction $f \in A(F)$ appartient à $\overline{M_F(D)}^F$ si et seulement si, pour n'importe quelle exhaustion du domaine D par des domaines précompacts D_n [i.e. $\overline{D}_n \subset D_{n+1}$, $\bigcup_{n \in \mathbb{N}} D_n = D$], on a*

$$f|_{F \cap \overline{D}_n} \in \overline{Ra}^{F \cap \overline{D}_n}.$$

DÉMONSTRATION: La nécessité de la condition est une conséquence directe du théorème de Runge puisque $g \in M_F(D)$ implique que $g \in H(F \cap \overline{D}_n)$. Montrons donc la suffisance.

Soit $\varepsilon > 0$ donné. Nous appliquons le lemme de fusion successivement à

$$K_1 = \overline{D}_n, \quad K_2 = \overline{\mathbb{C}} \setminus D_{n+1} \quad \text{et} \quad K = F_n = F \cap \overline{D_{n+1}}.$$

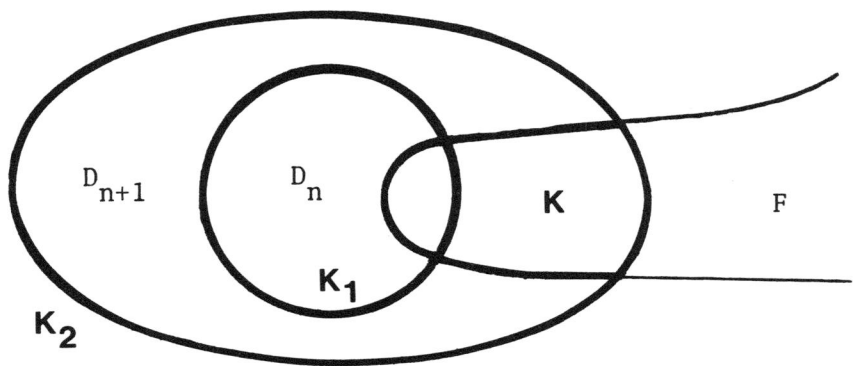

Soient $\{A_n; n \in \mathbb{N}\}$ les constantes dépendant de K_1 et K_2 que l'on obtient par le lemme de fusion. Sans perte de généralité, on peut supposer que $A_n \uparrow$ et $A_n \geq 1$ pour tout n. Considérons maintenant une suite de fonctions rationnelles $\{q_n; n \in \mathbb{N}\}$ qui satisfont à

$$\|f - q_n\|_{F_n} < \varepsilon \cdot 2^{-(n+1)}/A_n \,.$$

Puisque $f \in A(F)$, q_n n'a pas de pôles sur F_n et nous avons $\|q_{n+1} - q_n\|_{F_n} < \varepsilon \cdot 2^{-n}/A_n$. D'après le lemme de fusion, il existe $r_n \in Ra$ telle que $\|r_n - q_n\|_{\overline{D}_n \cup F_n} < \varepsilon \cdot 2^{-n}$ et $\|r_n - q_{n+1}\|_{(\overline{\mathbb{C}} \setminus D_{n-1}) \cup F_n} < \varepsilon \cdot 2^{-n}$.

Posons maintenant

$$g = q_1 + \sum_{n=1}^{\infty} (r_n - q_n) \,.$$

D'abord, $g \in M(D)$ parce que $r_k - q_k$ n'a pas de pôles sur D_n si $k \geq n$, et la convergence est uniforme. Il nous reste à montrer que $\|f - g\|_F < \varepsilon$. En effet, si $z \in F_1$, nous avons

$$|f(z) - g(z)| \le |q_1(z) - f(z)| + \sum_{n=1}^{\infty} |r_n(z) - q_n(z)|$$

$$< \frac{\varepsilon}{4A_1} + \varepsilon \sum_{n=1}^{\infty} (1/2)^n < 2\varepsilon.$$

D'autre part, si $z \in F_{n+1} \setminus F_n \subset \overline{C} \setminus D_n$, nous avons

$$|f(z) - g(z)| \le \sum_{k=1}^{n-1} |r_k(z) - q_{k+1}(z)| + |q_n(z) - f(z)| + \sum_{k=n}^{\infty} |r_k(z) - q_k(z)|$$

$$< \varepsilon \cdot \sum_{k=1}^{n-1} (1/2)^k + \varepsilon \cdot 2^{-(n+1)}/A_n + \varepsilon \cdot \sum_{k=n}^{\infty} (1/2)^k < 2\varepsilon.$$

REMARQUE (1.3.6): La même démonstration s'applique aussi si on remplace $f \in A(F)$ par $f \in M(F)$ et $M_F(D)$ par $M(D)$.

COROLLAIRE (1.3.7) (Le théorème de Runge généralisé): *Soit F un ensemble fermé de D et soit $f \in H(F)$ (respectivement $f \in M(F)$). Alors $f \in \overline{M_F(D)}^F$ (respectivement $f \in \overline{M(D)}^F$).*

En effet, $f|_{\overline{D}_n \cap F} \in H(F \cap \overline{D}_n)$ (respectivement $M(F \cap \overline{D}_n)$) et d'après le théorème de Runge f satisfait aux conditions du théorème (1.3.5).

Une autre application du théorème (1.3.5) dont les hypothèses sont faciles à vérifier est la suivante:

THÉORÈME (1.3.8): *Soit $f \in A(F)$, où F est un ensemble fermé d'un domaine D. S'il existe, pour chaque $z \in F$, un disque $D(z, \delta_z)$ tel que $D \setminus (D(z, \delta_z) \cap F)$ est connexe, alors $f \in \overline{M_F(D)}^F$.*

Un exemple où les conditions de ce théorème sont satisfaites est donné par $\quad D = \mathbb{C}$;

$$F = [\bigcup_{n=1}^{\infty} \{z; |\operatorname{Re} z| \leq 1; |\operatorname{Im} z| = \frac{1}{2^n}\}]$$

$$\cup \{z; |\operatorname{Re} z| \leq 1; \operatorname{Im} z = 0\}$$

$$\cup \{z; |\operatorname{Re} z| = 1; |\operatorname{Im} z| \leq 1\}.$$

Par contre dans l'exemple suivant, les hypothèses du théorème ne sont pas satisfaites:

$$D = \mathbb{C}; \quad F = \{z = 0\} \cup [\bigcup_{n=1}^{\infty} \{z; |z| = 1/n\}].$$

Le théorème (1.3.8) découle du

THÉORÈME (1.3.8') (Théorème de localisation de A. Roth, 1976): *Soient* F *un ensemble fermé d'un domaine* D *de* $\mathbb{C}$, $\{O_i; i \in I\}$ *un recouvrement donné de* F *par des ouverts et* $f \in A(F)$. *Alors* $f \in \overline{M_F(D)}^F$ *si et seulement si* $f|_{F \cap \overline{O_i}} \in \overline{M(D)}^{F \cap \overline{O_i}}$ *pour tout* $i \in I$ *pour lequel* $F \cap \overline{O_i} \neq \emptyset$.

DÉMONSTRATION: Remarquons que (1.3.8') contient (1.3.8) et (1.3.3). De plus, si $\overline{O_i}$ est compact alors $\overline{M(D)}^{F \cap \overline{O_i}} \equiv \overline{Ra}^{F \cap \overline{O_i}}$.

Soit $\{D_n; n \in \mathbb{N}\}$ une exhaustion de D par des domaines précompacts. Puisque $f|_{F \cap \overline{O_i}} \in \overline{M(D)}^{F \cap \overline{O_i}}$, nous avons $f|_{F \cap \overline{D_n} \cap \overline{O_i}} \in \overline{Ra}^{F \cap \overline{D_n} \cap \overline{O_i}}$. En appliquant le théorème de Bishop (1.3.3) à $\overline{D_n} \cap F$ ($\{O_i; i \in I\}$ est aussi un recouvrement par ouverts pour $\overline{D_n} \cap F$), nous avons $f|_{F \cap \overline{D_n}} \in \overline{Ra}^{F \cap \overline{D_n}}$ et (1.3.8') découle du théorème (1.3.5).

REMARQUE (1.3.8"): En utilisant le théorème de Vitushkin, on peut obtenir un résultat encore plus fort:

$$A(F) = \overline{M_F(D)}^F \iff A(F \cap \overline{O}) \subset \overline{Ra}^{F \cap \overline{O}}$$

pour tout disque ouvert précompact dans D.

Considérons maintenant une surface de Riemann R. Un domaine D de R est homéomorphe à un sous-ensemble de $\mathbb{C}$ si et seulement si tout cercle topologique dans D sépare R. Le *genre d'une surface de Riemann ouverte* R est la cardinalité minimale d'un ensemble de cercles C_i dans R tel que chaque composante de $R \setminus \bigcup_i C_i$ soit homéomorphe à un sous-ensemble de $\mathbb{C}$. Ainsi par exemple un domaine de $\mathbb{C}$ est de genre zéro. De plus, une surface de Riemann compacte est toujours de genre fini. Nous disons qu'un ensemble fermé F de R est *essentiellement de genre fini* s'il existe un recouvrement $\{O_i; i \in I\}$ d'ouverts de F tel que $O_i \cap O_j = \emptyset$, si $i \neq j$, et chaque O_i est de genre fini. Dans ce cas, Scheinberg (1981) a montré que si $R = K \cup O_{i_1} \cup \ldots \cup O_{i_m}$ où K est un ensemble compact, alors R est de genre fini.

THÉORÈME (1.3.9) (Gauthier (1979), Scheinberg (1981)): *Soit F un ensemble fermé et essentiellement de genre fini d'une surface de Riemann R. Alors une fonction $f: R \to \mathbb{C}$ est dans $\overline{M_F(R)}^F$ si et seulement si $f|_{F \cap K} \in \overline{M_F(R)}^{F \cap K}$ pour tout ensemble compact K de R.*

DÉMONSTRATION: La nécessité des conditions est triviale. Pour montrer la suffisance, considérons d'abord le cas où R admet une extension essentielle R' telle que la R'-fermeture de F, notée $\overline{F}$, soit compacte. De plus, on peut supposer que R' est ouvert et que $\overline{R} \neq \overline{F}$. La démonstration, pour ce cas, suit exactement celle du théorème (1.3.5) en remplaçant q_n et r_n, $n \in \mathbb{N}$, par des fonctions méromorphes sur R', en utilisant le théorème de Behnke-Stein et en appliquant le lemme de fusion sur les ensembles compacts R_n, $\overline{F} \setminus R_{n+1}$ et $\overline{F} \cap \overline{R}_{n+1}$, où $\{R_n; n \in \mathbb{N}\}$ est une exhaustion de R par des domaines réguliers.

L'hypothèse que l'extension R' est essentielle nous assure que $R' \neq \overline{R}_n \cup (\overline{F \setminus R_{n+1}}) \cup (\overline{F} \cap \overline{R}_{n+1})$. Notons qu'une surface de Riemann ouverte de genre fini admet toujours une extension compacte (voir Bochner (1928)).

Montrons maintenant (1.3.9) en supposant que $R \setminus F$ soit non borné. Puisque F est essentiellement de genre fini, F a un recouvrement par des ouverts O_i, $i \in I$, disjoints et de genre fini. On peut donc supposer que la famille est localement finie et ainsi dénombrable. Soit $R = \bigcup_{k=1}^{\infty} R_k$ une exhaustion régulière de R. Alors pour tout $k \in \mathbb{N}$, il n'y a qu'un nombre fini de O_i qui rencontrent R_k. Posons

$$U_k = \bigcup_i \{O_i ; O_i \cap R_k \neq \emptyset\} .$$

Alors $R_k \cup U_k$ est de genre fini et admet donc une extension compacte. Puisque $R \setminus F$ est non borné, on peut supposer que $R \setminus \overline{O}_j$ est non borné pour tout j et que $R_k \cup U_k$ est une surface à bord. Puisque $\overline{R_k}$ est compact, $R \setminus (\overline{R_k \cup U_k}) \neq \emptyset$, c'est-à-dire que $R_k \cup U_k$, $k \in \mathbb{N}$, possède une extension *essentielle compacte*.

D'après le cas précédent, il y a un $g_1 \in M(R)$ tel que $\|f - g_1\|_{F \cap U_1} < \varepsilon/2$. Posons maintenant

$$f_2 = \begin{cases} g_1 & \text{sur } \overline{R_1} \cup \overline{U_1} \\ f & \text{sur } F \setminus U_1 \end{cases} .$$

Alors il existe un $g_2 \in M(R)$ tel que $\|g_2 - f_2\|_{R_1 \cup (F \cap U_2)} < \varepsilon/2^2$. En continuant ainsi, nous obtenons une suite $\{f_n ; n \in \mathbb{N}\}$ avec

$$f_n = \begin{cases} g_{n-1} & \text{sur } \overline{R_{n-1}} \cup \overline{U_{n-1}} \\ f & \text{sur } F \setminus \overline{U_{n-1}} \end{cases}$$

et une suite $\{g_n ; n \in \mathbb{N}\}$ telle que

a) $g_n \in M(R)$,

b) $\|g_n - g_{n-1}\|_{\overline{R_{n-1}} \cup (F \cap \overline{U_{n-1}})} < \varepsilon/2^n$,

c) $\|g_n - f\|_{F \cap \overline{U_n}} < \varepsilon/2^n$.

Nous avons donc une suite de Cauchy $\{g_n \in M(R); n \in \mathbb{N}\}$ qui converge vers une fonction $g \in M(R)$ vérifiant

$$\|f - g\|_{F \cap U_n} < \varepsilon/2^{n+1},$$

ce qui démontre le théorème dans le cas où $R \setminus F$ est non borné.

Supposons maintenant que $R \setminus F$ est borné. Si R est compacte, alors le théorème est une conséquence du théorème de Köditz-Timmann. Soit donc R ouvert. De plus, soit $p \in R \setminus F$ et posons $R_p = R \setminus \{p\}$. Puisque $R_p \setminus F$ n'est pas précompact dans R_p, il existe, d'après le cas précédent, un $g_1 \in M(R_p)$ tel que $\|f - g_1\|_F < \varepsilon/2$. Puisque $R \setminus F$ est borné, F essentiellement de genre fini, et R connexe, il s'ensuit que R est elle-même de genre fini (Scheinberg (1981)). Donc R admet une extension compacte $\tilde{R}$. De plus, d'après Röhrl (1964,p.648), il existe un $g_2 \in M(\tilde{R} \setminus p)$ tel que $(g_2 - g_1) \in M(\{p\})$. Nous appliquons maintenant le théorème de Köditz-Timmann qui nous donne $g_3 \in M(\tilde{R})$ avec

$$\|(g_1 - g_2) - g_3\|_{\overline{F}} < \varepsilon/2 .$$

Alors $g = g_1 - g_2 + g_3 \in M(R)$ et $\|f - g\|_F < \varepsilon$ ce qui établit le théorème.

Le corollaire correspondant à (1.3.7) est:

COROLLAIRE (1.3.10) (Gauthier, 1979): *Soit F un ensemble fermé et essentiellement de genre fini d'une surface de Riemann R. Si $f \in H(F)$ (où $M(F)$), alors $f \in \overline{M_F(R)}^F$ (respectivement $\overline{M(R)}^F$).*

REMARQUES (1.3.11): 1) Si F n'est pas essentiellement de genre fini, le théorème (1.3.8) ne reste plus valable.

EXEMPLE: Soit R une surface de Riemann ouverte avec la propriété que si K est un ensemble compact de R tel que R\K soit connexe, on a:

$$f \text{ holomorphe et bornée sur } R\backslash K \Rightarrow f = \text{const.}$$

(Pour un exemple d'une telle surface de Riemann, voir Gauthier-Hengartner (1975).) Considérons un disque paramétrique D de R avec centre p et choisissons un point $q \neq p$ dans D. Soit donc $R_1 = R\backslash\{p\}$, $F = (R\backslash D) \cup \{q\}$ et
$$f = \begin{cases} 0 & \text{sur } R\backslash D \\ 1 & \text{à } q \end{cases}.$$

Evidemment $f \in H(F)$. S'il existait $g \in M(R_1)$ telle que $\|g - f\|_F < 1/4$, alors g serait une constante, $|g| < 1/4$, ce qui contredit que $|1 - g(q)| < 1/4$.

2) On peut se demander si la réciproque du théorème de localisation est vraie. En effet, nous avons:

a) Soit K un ensemble compact de $\mathbb{C}$ et D un disque. Alors
$$A(K) \subset \overline{Ra}^K \Rightarrow A(K \cup \overline{D}) \subset \overline{Ra}^{K \cup \overline{D}}.$$

b) Soit F un ensemble fermé de $\mathbb{C}$ et D un disque. Alors $A(F) = \overline{M_F(\mathbb{C})}^F \Rightarrow A(F \cup \overline{D}) = \overline{M_{F \cup \overline{D}}(\mathbb{C})}^{F \cup \overline{D}}$. Pour une démonstration, voir Gauthier-Hengartner (1977).

3) Du théorème (1.3.3), on tire immédiatement le corollaire suivant (Gauthier, 1979): Soit F un ensemble fermé et essentiellement de genre fini. Alors $A(F \cap \overline{D}) \subset \overline{M(R)}^{F \cap \overline{D}}$ pour tout disque paramétrique D de R, entraîne que $A(F) = \overline{M_F(R)}^F$. Si R est un domaine de $\mathbb{C}$, cette condition est aussi nécessaire (Nersesian (1972)). Pour les autres cas ceci reste un problème ouvert.

Dans la section suivante, nous montrons qu'on peut prescrire les endroits des pôles de la fonction qui approche une fonction donnée. Il est clair que les singularités sur F doivent être les mêmes. La méthode est donnée dans la preuve du théorème de balayage des pôles.

Soit F un ensemble fermé d'un domaine D de C. Nous considérons d'abord un cas spécial.

LEMME 1.3.12: *Soient z_1 et z_2 deux points dans la même composante connexe de $D \backslash F$ et soit f un polynôme en $(1/(z - z_1))$, i.e. $f = p\left(\frac{1}{z-z_1}\right)$. Alors, pour tout $\varepsilon > 0$ il existe un polynôme p_1 tel que $g = p_1\left(\frac{1}{z-z_2}\right)$ satisfait à $\|f - g\|_F < \varepsilon$.*

DÉMONSTRATION: a) Considérons d'abord le cas le plus simple $F = \{z; |z| \geq 1\}$, $z_1 \in C \backslash F$, $z_2 = 0$ et $f(z) = \left(\frac{1}{z-z_1}\right)^m$, où $m \in \mathbb{N}$. La série

$$\frac{1}{z-z_1} = \frac{1}{z} \cdot \sum_{k=0}^{\infty} \left(\frac{z_1}{z}\right)^k$$

et celles de ses dérivées convergent uniformément dans F. On a donc une somme partielle p_1 telle que $\|f - p_1\left(\frac{1}{z}\right)\|_{\partial F} < \varepsilon$, et puisque f et $p_1\left(\frac{1}{z}\right)$ sont holomorphes à ∞, le principe du module maximum nous donne $\|f - p_1\left(\frac{1}{z}\right)\|_F < \varepsilon$.

b) Les mêmes arguments que dans a) nous donnent le lemme pour $F = C \backslash \{z; |z - z_2| > \delta\}$, $\delta > 0$ donné, $z_1 \in C \backslash F$ et $f(z) = $ polynôme$\left(\frac{1}{z-z_1}\right)$.

c) Considérons maintenant le cas général. Soient z_1 et z_2 deux points d'une même composante connexe de $C \backslash F$. Alors il existe un arc de Jordan γ de z_1 à z_2 qui est contenu dans $C \backslash F$. Soit $d = \text{dist}(\gamma, F)$.

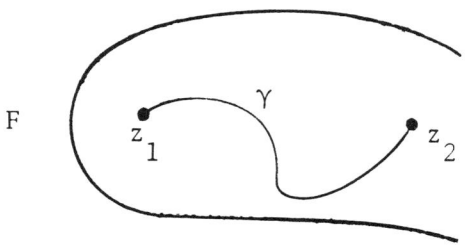

Nous choisissons maintenant des points ζ_k sur γ tels que

$$\zeta_0 = z_1, \ \zeta_N = z_2 \ \text{et} \ |\zeta_i - \zeta_{i-1}| < d, \ i = 1,2,\ldots,N.$$

En appliquant b) ci-dessus N fois successivement à $p_i\left(\frac{1}{z-\zeta_i}\right)$ avec $\varepsilon_1 = \varepsilon/N$, la fonction $p_N\left(\frac{1}{z-z_2}\right)$ satisfait à l'énoncé du lemme.

LEMME 1.3.13: *Soit F un ensemble fermé d'un domaine D de $\mathbb{C}$ et $f \in M(D)$ telle que f possède un pôle à $z_1 \in D\setminus F$. Choisissons un z_2 dans la composante connexe de $D\setminus F$ contenant z_1 et un $\varepsilon > 0$. Alors il existe une fonction $g \in M(D)$ telle que*

a) *g a un pôle à z_2;*

b) *g est holomorphe à z_1;*

c) *l'ensemble des autres pôles de g est contenu dans l'ensemble de pôles de f;*

d) *$\|f - g\|_F < \varepsilon$.*

DÉMONSTRATION: Soit $p\left(\frac{1}{z-z_1}\right)$ la partie méromorphe de f dans un voisinage de z_1. D'après le lemme 1.3.12, il existe un polynôme p_1 tel que $\|p\left(\frac{1}{z-z_1}\right) - p_1\left(\frac{1}{z-z_2}\right)\|_F < \varepsilon$. La fonction $g(z) = f(z) - p\left(\frac{1}{z-z_1}\right) + p_1\left(\frac{1}{z-z_2}\right)$ satisfait au lemme 1.3.13.

Avant de démontrer le théorème de balayage des pôles, nous introduisons la compactification d'Alexandroff d'une surface de Riemann ouverte, notée $R^* = R \cup \{\infty\} = R \cup \{*\}$. L'idée intuitive est d'ajouter le bord ∂R comme un seul point, appelé point à l'infini ou point idéal. Un ensemble O est ouvert dans R*, si, ou bien O est ouvert dans R ou bien O = R*\K où K est un ensemble compact de R. Avec cette topologie R* est compacte.

LEMME (1.3.14): *Soit F un ensemble fermé d'une surface de Riemann ouverte R. Alors R*\F est connexe si et seulement si R\F n'a aucune composante connexe précompacte dans R, c'est-à-dire, {*} est un point d'accumulation de chaque composante connexe de R\F.*

EXEMPLE (1.3.15): Soit $R = C\setminus\{0\}$. Alors $\partial R = \{0\} \cup \{\infty\}$ et $R^* = R \cup \partial R$, où on identifie $\{0\} \cup \{\infty\}$ comme un seul point $\{*\}$. Un voisinage de $\{*\}$ contient donc l'ensemble $\{z; |z| < r_1\} \cup \{z; |z| > r_2\}$ pour certains r_1 et r_2, $r_2 > r_1 > 0$. Si $F = \{z; 1 \leq |z| \leq 2\}$, alors $R^*\setminus F$ est connexe.

LEMME (1.3.16): *Soit F un ensemble fermé de R. Alors R*\F est localement connexe à l'infini s'il existe pour chaque voisinage O du point idéal {*} un voisinage $U \subset O$ tel que si $z_0 \in (U\setminus\{*\})\setminus F$, alors il existe un chemin γ de z_0 à {*} contenu dans O\F. De plus, R*\F est localement connexe si et seulement si, pour tout ensemble compact K il existe un ensemble compact $K_1 \supset K$ tel que $R^*\setminus(K_1 \cup F)$ est connexe.*

EXEMPLE (1.3.17): Soit $R = C$ et donc $R^* = \overline{C}$, et soit $F = [\bigcup_{n=1}^{\infty} \{z; \text{Re } z = \frac{1}{n}\}] \cup \{z; \text{Re } z = 0\}$. Alors $C^*\setminus F$ est connexe et localement connexe à l'infini.

2) Soit $R = \{z; |z| < 1\}$. Alors $R^* = \{z; |z| \leq 1\}$, c'est-à-dire ∞ est le cercle $\{z; |z| = 1\}$. Si F est une spirale qui s'approche de ∂R, alors $R^*\setminus F$ est localement connexe à $\{*\}$. Mais $\{z; |z| \leq 1\} \setminus F$ n'est pas localement connexe aux points de $\{z; |z| \leq 1\}$.

Comme premier résultat, nous avons:

THÉORÈME (1.3.18): *Soit F un ensemble fermé essentiellement de genre fini d'une surface de Riemann ouverte tel que $R^*\setminus F$ est connexe. Si $f \in A(F)$, alors $f \in \overline{M_F(R)}^F$.*

DÉMONSTRATION: Si D_p est un disque paramétrique sur R de centre p, alors $R^*\setminus(F \cap \overline{D_p})$ est connexe. D'après le théorème de Mergelyan-Bishop (1.1.2.2b), $f \in A(F \cap \overline{D_p}) = \overline{H(R)}^{F \cap \overline{D_p}}$ et la remarque (1.3.11.3) nous donne $f \in \overline{M_F(R)}^F$.

THÉORÈME (1.3.19) (Théorème de balayage des pôles): *Soit F un ensemble fermé d'un domaine D de $\mathbb{C}$ tel que $D^*\setminus F$ soit localement connexe et soit $f \in A(F)$. Alors il existe, pour tout $\varepsilon > 0$ donné, des fonctions $r \in Ra$ et $h \in H(D)$ telles que $\|f - r - h\|_F < \varepsilon$.*

DÉMONSTRATION: D'après (1.3.18) il existe $g \in M_F(D)$ telle que $\|f - g\|_F < \varepsilon/2$. Puisque g ne possède qu'un nombre fini de pôles dans les composantes connexes précompactes de $D^*\setminus F$, tous les pôles de g hors d'un ensemble fini peuvent être connectés avec ∂D par des arcs dans $D\setminus F$. Notons ces pôles par z_k et les arcs correspondants par $\gamma_k; k \in \mathbb{N}$. Nous pouvons choisir $\{\gamma_k; k \in \mathbb{N}\}$ de manière à ce que chaque ensemble compact K de D ne rencontre qu'un nombre fini de ces arcs. Nous choisissons maintenant une suite de voisinages $\{U_n; n \in \mathbb{N}\}$ de ∂D telle que pour $O = U_n$ et $U = U_{n+1}$ le lemme (1.3.16) soit vérifié.

Soit maintenant $\{D_n; n \in \mathbb{N}\}$ une exhaustion de D par des ensembles précompacts, $\overline{D_n} \subset D_{n+1}$, et soit r la somme des parties méromorphes des pôles de g dans les ensembles précompacts de $D^*\setminus F$. Posons $m = g - r$. Puisqu'il n'y a qu'un nombre fini de γ_k qui rencontrent $\overline{D_1}$, nous pouvons balayer les pôles correspondants le long de ces arcs hors de $\overline{D_1}$. En d'autres mots, il existe $m_1 \in M_{F \cup \overline{D_1}}(D)$ telle que $\|m_1 - m\|_F < \varepsilon/4$ et tous les pôles de m_1 peuvent être connectés à ∂D par des arcs $\gamma_k \in D \backslash F$ qui ne rencontrent pas $\overline{D_1}$. Nous procédons maintenant par récurrence. Il existe $m_n \in M_{F \cup \overline{D_n}}(D)$ telle que $\|m_n - m_{n-1}\|_{F \cup \overline{D_{n-1}}} < \varepsilon/2^{n+1}$ et chaque pôle de m_n peut être connecté à ∂D par un arc qui ne rencontre pas $\overline{D_n} \cup F$. La fonction $h = \lim_{n \to \infty} m_n$ existe et $h \in H(D)$. De plus, nous avons

$$\|f - r - h\|_F \leq \|f - g\|_F + \|(g - r) - h\|_F$$

$$\leq \frac{\varepsilon}{2} + \frac{\varepsilon}{2} \cdot \sum_{k=1}^{\infty} (1/2)^k = \varepsilon .$$

COROLLAIRE (1.3.20) (Arakelyan, 1968): *Soit F un ensemble fermé d'un domaine D de $\mathbb{C}$ tel que $D^* \backslash F$ soit connexe et localement connexe. Si $f \in A(F)$ alors il existe $h \in H(D)$ telle que $\|f - h\|_F < \varepsilon$.*

Nous avons déjà mentionné que sur une surface de Riemann ouverte, on n'a pas en général un théorème de balayage de pôles. Mais si F est essentiellement de genre fini, nous pouvons trouver un théorème analogue.

PROPOSITION (1.3.21) (Gauthier (1979) et Scheinberg (1978)): *Soit F un ensemble fermé et essentiellement de genre fini d'une surface de Riemann ouverte, tel que $D^* \backslash F$ soit connexe et localement connexe. Alors si $f \in H(F)$, il existe pour tout $\varepsilon > 0$ donné, une fonction $h \in H(R)$ telle que $\|f - h\|_F < \varepsilon$.*

DÉMONSTRATION: Soit $f \in H(F)$ et $\varepsilon > 0$ donné. D'après (1.3.10) il existe une fonction $m \in M_F(R)$ telle que $\|f - m\|_F < \varepsilon/2$. Il nous faut maintenant balayer les pôles de m. Pour cela, nous utilisons le lemme suivant:

LEMME (Scheinberg, 1979): *Soit F un ensemble fermé, essentiellement de genre fini, d'une surface de Riemann ouverte R et soit p dans une composante connexe non bornée de R\F. Si $m \in M(R)$, alors, pour tout $\varepsilon > 0$, il existe une fonction $m_p \in M(R)$ avec les mêmes pôles que m sauf que $m_p \in H(\{p\})$, et qui satisfait à $\|m - m_p\|_F < \varepsilon$.*

La démonstration de ce lemme (de balayage) est très longue et est omise dans ce texte. Elle utilise principalement le résultat suivant (Scheinberg (1979)).

Soient K un ensemble compact d'une surface de Riemann compacte R et $P \subset R\backslash K$. Alors $H(K) = \overline{M_{R\backslash P}(R)}^K$ si et seulement si chaque composante connexe de R\K contient au moins un point de P.

La proposition s'obtient en appliquant le lemme itérativement aux pôles $\{p_j; j \in \mathbb{N}\}$. Soit donc $R = \bigcup_{j=1}^{\infty} R_j$ une exhaustion telle que $\{p_k; k \geq j\}$ soit inclus dans la composante connexe non bornée de $R^*\backslash(F \cup \overline{R_j})$. On obtient ainsi une suite $\{m_j \in M_{R \backslash \bigcup_{k=j+1}^{\infty} \{p_k\}}(R)\}$ pour laquelle

$$\|m - m_1\|_F < \varepsilon/4, \quad \|m_{j+1} - m_j\|_{F \cup \overline{R_j}} < \varepsilon/2^{j+2}.$$

La limite $\lim_{j \to \infty} m_j = h$ appartient à $H(R)$ et on a $\|f - h\|_F < \varepsilon$.

Dans ce qui suit, nous allons montrer que les conditions que $R^*\backslash F$ soit connexe et localement connexe sont nécessaires et aussi suffisantes si F est essentiellement de genre fini. Comme cas particulier, où R est un domaine de $\mathbb{C}$, nous obtenons le fameux théorème de Arakelyan (1968).

PROPOSITION (1.3.22) (Gauthier-Hengartner, 1975): *Soit F un ensemble fermé d'une surface de Riemann ouverte R. Si $A(F) = \overline{H(R)}^F$, alors $R^*\setminus F$ est connexe et localement connexe.*

DÉMONSTRATION: a) Supposons que $R^*\setminus F$ ne soit pas connexe, c'est-à-dire que $R\setminus F$ possède une composante précompacte U. Alors il existe $f \in M(R)$ avec un seul pôle à un point $p_0 \in U$ et telle que $f|_{\overline{U}}$ ne s'annule pas. Posons $2\varepsilon = (\|1/f\|_{\partial U})^{-1}$. Alors s'il existait $h \in H(R)$ telle que $\|h - f\| < \varepsilon$ et $h(p_0) \neq 0$, alors on aurait $\|1 - h/f\|_{\partial U} = \|1 - h/f\|_U < 1/2$ et donc à p_0:

$$1 = |1 - h(p_0)/f(p_0)| < 1/2.$$

b) Supposons maintenant que $R^*\setminus F$ soit connexe mais pas localement connexe. Il existe donc un ensemble compact K de R tel que les composantes connexes précompactes de $R\setminus(F \cup K)$ possèdent la propriété suivante: il existe une suite de points $\{p_n; n \in \mathbb{N}\}$, appartenant à des composantes connexes E_n mutuellement disjointes, et telle que $\lim_{n\to\infty} p_n = \{*\}$. De plus, soit $g_n \in H(R)$ telle que $\|g_n\|_{K \cup \partial E_n} < 1/n$ avec un zéro simple à p_n. Finalement, soit $g \in M(R)$ une fonction dont les pôles sont à $\{p_n; n \in \mathbb{N}\}$, qui a la même partie méromorphe que $1/g_n$ et vérifie $g \cdot g_n(p_n) = 1$. Evidemment $g \in A(F)$. S'il existait $h \in H(R)$ avec $\|g - h\|_F < 1$, on aurait en posant $h_n = g_n \cdot (h - g) \in A(\overline{E}_n)$:

$$\|h_n\|_{\partial E_n} = \|h_n\|_{\overline{E}_n} \leq (1 + \|g\|_K + \|h\|_K)/n$$

et donc, en particulier $1 = h_n(p_n) < \text{const.}/n$, ce qui contredit l'hypothèse que $R^*\setminus F$ n'est pas localement connexe.

Malheureusement, les conditions de (1.3.22) ne sont pas suffisantes en général (voir exemple 1.3.10.1). Mais si F est essentiellement de genre fini, nous avons:

THÉORÈME (1.3.23) (Scheinberg, 1978): *Soit F un ensemble fermé et essentiellement de genre fini d'une surface de Riemann ouverte R. Alors on a $A(F) = \overline{H(R)}^F$ si et seulement si $R^*\backslash F$ est connexe et localement connexe.*

REMARQUES (1.3.24): 1) Dans le cas où R est un domaine D de $\mathbb{C}$, ce théorème a été démontré par Arakelyan (1968).

2) La nécessité des conditions constitue le théorème (1.3.22).

3) Scheinberg (1978) a montré que dans le cas général il n'y a aucune caractérisation topologique pour déterminer si $A(F) = \overline{H(R)}^F$; c'est-à-dire, il a montré qu'on peut trouver deux surfaces de Riemann: R_1, R_2; deux ensembles fermés: $F_1 \subset R_1$, $F_2 \subset R_2$ et un homéomorphisme ϕ de R_1 à R_2 tels que $\phi(R_1) = R_2$, $\phi(F_1) = F_2$ et $A(F_1) \neq \overline{H(R_1)}^{F_1}$ mais $A(F_2) = \overline{H(R_2)}^{F_2}$.

4) Si $R = D$ est un domaine de $\mathbb{C}$, l'approximation d'une fonction f sur un ensemble fermé F de D par une fonction $g \in H(F)$ est essentiellement équivalente à l'approximation par une fonction méromorphe sur D dont les pôles sont hors de F, ce qui n'est pas vrai pour les surfaces de Riemann arbitraires (voir l'exemple dans (1.3.11.1)). On a donc là deux problèmes différents.

DÉMONSTRATION du théorème: Il nous reste à montrer la suffisance des conditions que $R^*\backslash F$ soit connexe et localement connexe. Au lieu de donner ici la démonstration originale de Scheinberg (1978), nous donnons celle de Gauthier (1979). En effet, puisque $R^*\backslash F$ est connexe, il existe d'après (1.3.18) une fonction $g \in M_F(R)$ telle que $\|f - g\|_F < \varepsilon/2$. D'autre part, puisque $R^*\backslash F$ est, de plus, localement connexe et $g \in H(F)$, il existe d'après (1.3.21) une fonction $h \in H(R)$ avec $\|h - g\|_F < \varepsilon/2$ et le théorème est établi.

APPLICATION 1: Il est bien connu qu'il existe toujours une fonction méromorphe dont les parties principales sont données à l'avance. Nous montrons maintenant qu'il en est de même pour les singularités isolées.

THÉORÈME (1.3.25): *Soit $\{p_n; n \in \mathbb{N}\}$ une suite de points sur une surface de Riemann ouverte R sans point d'accumulation dans R, et soit $g_n \in H(V_n \setminus \{p_n\})$, $n \in \mathbb{N}$, où V_n est un voisinage de p_n. Alors il existe une fonction $f \in H(R \setminus \bigcup_{n=1}^{\infty} \{p_n\})$ telle que $f - g_n \in H(V_n)$ pour tout $n \in \mathbb{N}$.*

DÉMONSTRATION (Arakelyan, 1981): Soit D_n un disque paramétrique de centre p_n, $\overline{D_n} \subset V_n$ et $\overline{D_n} \cap \overline{D_m} = \emptyset$ si $n \neq m$. Posons $F = \bigcup_{n=1}^{\infty} \overline{D_n}$. Evidemment F est fermé dans R et essentiellement de genre 0 (donc fini). Soit maintenant $R_1 = R \setminus (\bigcup_{n=1}^{\infty} p_n)$ et soit $f(p) = g_n(p)$ si $p \in \overline{D_n}$. Alors $f \in A(F)$ (même $\in H(F)$) et $R_1 \setminus F$ est connexe et localement connexe. D'après (1.3.23), il existe une fonction $h \in H(R_1)$ telle que $\|h - f\|_F < 1$. Par le principe du prolongement holomorphe, on obtient ensuite les propriétés désirées.

APPLICATION 2: Au lieu de considérer l'approximation uniforme (i.e. $\varepsilon(z) \equiv \varepsilon$), on peut se demander pour quelle fonction $\varepsilon(z)$ on peut avoir $|f(z) - h(z)| < \varepsilon(z)$ pour tout $z \in F$. Un premier résultat est:

COROLLAIRE (1.3.26): *Soit F un ensemble fermé essentiellement de genre fini d'une surface de Riemann ouverte R tel que $R^* \setminus F$ soit connexe et localement connexe. Si $f \in A(F)$ et $g \in A(F)$, alors il existe $h \in H(R)$ telle que*

$$|f(p) - h(p)| < |e^{g(p)}| \text{ pour tout } p \in F.$$

DÉMONSTRATION: Remarquons que (1.3.26) avec $g(p) \equiv \log \varepsilon$ contient (1.3.23). D'abord, (1.3.23) entraîne l'existence de deux fonctions $h_1, h_2 \in H(R)$ telles que

$$\|g - h_1\|_F < 1 \quad \text{et} \quad \|f \cdot e^{-h_1+1} - h_2\|_F < 1 .$$

En posant $h = h_2 \cdot e^{h_1-1}$, nous avons pour tout $p \in F$:

$$|f(p) - h(p)| < |e^{h_1(p)-1}| = \exp(\operatorname{Re} h_1(p) - 1) \leq \exp \operatorname{Re} g(p) = |e^{g(p)}| .$$

Prenons comme exemple $R = \mathbb{C}$, $F \neq \mathbb{C}$. Soit $z_0 \in \mathbb{C} \backslash F$ et γ un arc de z_0 à ∞, $\gamma \in \mathbb{C} \backslash F$. Alors $g(z) = A \log(z - z_0) + B \in H(F)$ pour tout $A, B \in \mathbb{C}$. Choisissons maintenant $A = -n$ et $B = \log\{\varepsilon \cdot (\operatorname{dist}(z_0, F))^n\}$ où $\varepsilon > 0$ est donné. Donc il existe une fonction $h \in H(\mathbb{C})$ telle que

$$\|f - h\|_F \leq \|e^g\|_F \leq \varepsilon \quad \text{et} \quad \lim_{\substack{z \in F \\ z \to \infty}} |f(z) - h(z)| \cdot |z|^{n-1} = 0$$

c'est-à-dire

$$|f(z) - h(z)| < \frac{d^n \cdot \varepsilon}{|z - z_0|^n} \quad \text{pour tout} \quad z \in F .$$

REMARQUE: On ne peut pas avoir un comportement analogue pour R. En effet, si on prend $R = D = \{z; |z| < 1\}$, $F = (D \cap \{z; \operatorname{Re} z \geq 0\}) \cup \{-\frac{1}{2}\}$ et $f(z) = |\operatorname{Re} z| + i \cdot \operatorname{Im} z$, alors chaque fonction $g \in H(D)$ avec $\lim_{\substack{|z| \to 1 \\ z \in F}} |g(z) - f(z)| = 0$ est nécessairement l'identité.

Finalement, mentionnons le théorème de Nersesjan sur l'approximation tangentielle.

THÉORÈME (1.3.27) (Nersesjan, 1971): *Soit F un ensemble fermé d'un domaine D de $\mathbb{C}$ tel que $D^* \backslash F$ soit connexe et localement connexe. Alors F est un ensemble de Carleman par rapport à $H(D)$ si et seulement si on a la propriété* *suivante: pour chaque ensemble compact* K *de* D, *il existe un voisinage* V *de* ∂D *tel que pour chaque composante connexe* A *de* F^0, *on a*

$$A \cap K \neq \emptyset \Rightarrow A \cap V = \emptyset.$$

REMARQUES (1.3.28): 1) Si $F^0 = \emptyset$, alors les conditions sur F coïncident avec celles de l'approximation uniforme.

2) Gauthier (1969) a montré la nécessité de la condition.

3) Soit $D = \{z; |z| < 1\}$ et $F = \{z; \text{Re } z \geq 0 \text{ et } |\text{Re } z| + |\text{Im } z| \leq 1\}$; alors F ne satisfait pas aux conditions.

4) Soit $D = \mathbb{C}$ et $F = \{z; \text{Im } z = 0\} \cup \bigcup_{n \in \mathbb{Z}} \{z; |z - n| \leq 1/4\}$. Alors F satisfait aux conditions.

5) Pour le cas de l'approximation méromorphe, aucun résultat semblable n'est connu mais si $F^0 = \emptyset$, $f \in A(F)$ admet une approximation tangentielle sur F par des fonctions dans $M_F(D)$ si et seulement si $A(F) = \overline{M_F(D)}^F$.

COMMENTAIRES (1.3.29): 1) A. Roth (1978) a étudié l'approximation UCE ("uniform continuous epsilon"). Il s'agit du problème suivant: soit F un ensemble fermé d'un domaine D de $\mathbb{C}$ et soit $f \in A(F)$ (respectivement $\overline{M(F)}^F$). Quelles sont les conditions pour qu'on ait une fonction $g \in H(D)$ (respectivement M(D)) telle que $(f - g)(z) = \varepsilon(z)$ soit uniformément continue sur F et $\|\varepsilon\|_F \leq \varepsilon$, où $\varepsilon > 0$ est donné? Elle a obtenu les résultats suivants:

a) Les conditions du théorème (1.3.5) sont nécessaires et suffisantes pour qu'on ait une approximation UCE méromorphe.

b) Les conditions du théorème (1.3.23) sont nécessaires et suffisantes pour qu'on ait une approximation UCE holomorphe.

Le lemme de fusion correspondant dit qu'il existe une fonction rationnelle $r(z)$ telle que si $\|r_1 - r_2\|_K < \varepsilon$ alors

$$\|r - r_1\|_{K_1 \cup K} < A \cdot \varepsilon, \quad \|r - r_2\|_{K_2 \cup K} < A \cdot \varepsilon,$$

$$\left\| \frac{(r-r_1)(z_1) - (r-r_1)(z_2)}{z_1 - z_2} \right\|_{(K_1 \cup K) \times (K_1 \cup K)} < A \cdot \varepsilon$$

et

$$\left\| \frac{(r-r_2)(z_1) - (r-r_2)(z_2)}{z_1 - z_2} \right\|_{(K_2 \cup K) \times (K_2 - K)} < A \cdot \varepsilon$$

ce qu'on obtient en remplaçant le noyau de Cauchy par le noyau $1/[(z_1 - \zeta)(z_2 - \zeta)]$. La constante A ne dépend que de K_1 et K_2.

2) A. Stray (1980) a obtenu le résultat suivant: soit F un ensemble fermé d'un domaine D de $\mathbb{C}$ et soit $E \subset (\partial F \cap \partial D)$. Alors les deux énoncés sont équivalents:

a) $A(F \cup E) = \overline{H(D) \cap C(F \cup E)}^F$.

b) $\{f \in A(F \cup E); \|f\|_F < \infty\} \subset \overline{H(D) \cap C(F \cup E)}^F$.

En particulier, si $E = \emptyset$, le théorème dit qu'on peut approcher chaque $f \in A(F)$ par des fonctions dans $H(D)$ si et seulement si on peut le faire pour chaque fonction $f \in A(F)$ bornée. De plus, si $E = \partial F \cap \partial D$, nous avons le problème d'approximation uniforme par des fonctions dans $H(D)$ qui sont uniformément continues sur F. Dans ce cas, Stray obtient:

$$A(F) \cap C_u(F) = \overline{H(D) \cap C_u(F)}^F$$

si et seulement si $D^* \setminus F$ est connexe par arcs; ici $C_u(F)$ est l'ensemble des fonctions uniformément continues sur F.

3) Soit maintenant $\varepsilon(z)$ une fonction, continue et positive sur un ensemble fermé F d'un domaine D de $\mathbb{C}$, telle que $\varepsilon(z) \to 0$ si $\text{dist}(z,\partial D) \to 0$. Un ensemble F est appelé un *ensemble d'approximation asymptotique* ou *tangentielle*, s'il existe un $\varepsilon(z)$ ayant les propriétés ci-dessus tel que pour toute $f \in A(F)$, on a une fonction $g \in H(D)$ telle que $|f(z) - g(z)| \leq \varepsilon(z)$, $z \in F$.

Pour $D = U = \{z; |z| < 1\}$, L. Brown, P. Gauthier, W. Seidel (1975) ont donné la caractérisation suivante: F est un ensemble d'approximation asymptotique si et seulement si

a) $U^* \setminus F$ est connexe et localement connexe à ∞.

b) $\omega_{F_0}(\partial F^0 \cap \partial D) = 0$ où ω_{F_0} est la mesure harmonique p.r. à F^0.

En considérant l'exemple (1.3.28.3), on voit que cette caractérisation diffère de celle du théorème (1.3.27). A. Stray (1978) a montré que la même caractérisation est vraie si F^0 est localement simplement connexe dans un voisinage de $\partial F^0 \cap \partial D$, c'est-à-dire si pour tout $z \in \partial D$, il existe un disque $D(z, \delta_z)$ tel que $\mathbb{C} \setminus (F \cap D(z, \delta_z))$ soit connexe.

4) Un problème naturel est celui de combiner l'approximation avec l'interpolation. Il est clair que les points d'interpolation z_n ne peuvent pas avoir de point d'accumulation dans D, c'est-à-dire on ne peut pas prescrire les valeurs d'un ensemble complet de fonctionnelles dans $H'(D)$, le dual topologique de $H(D)$. Un autre cas est:

a) EXEMPLE: Soient $D = \mathbb{C}$, $F = \{z; \text{Re } z \geq 0\} \cup \{z = -1\}$. $z_n = \sqrt{n}$ et posons

$$f(z) = \begin{cases} 0 & \text{si } \text{Re } z \geq 0 \\ 1 & \text{si } z = -1 \end{cases}.$$

Une fonction entière g qui satisfait à $g(z_n) = 0$, $n \in \mathbb{N}$ et

$\|f - g\|_{\text{Re } z \geq 0} < 1/4$ est identiquement nulle et donc $|f(-1) - g(-1)| = 1$. On ne peut donc avoir dans ce cas à la fois l'approximation et l'interpolation.

b) THÉORÈME (Gauthier-Hengartner, 1975): *Soit F un ensemble fermé d'un domaine D de $\mathbb{C}$ tel que $D^*\backslash F$ soit connexe et localement connexe. De plus, soit $\{z_n; n \in \mathbb{N}\}$ une suite de points dans $F\backslash \overline{F}^0$ qui n'admet pas de point d'accumulation dans D et $\{W_{n,k}; 1 \leq k \leq p_n; n \in \mathbb{N}\}$ un ensemble de scalaires. Pour $f \in A(F)$ et $\varepsilon > 0$ donnés, il existe alors une fonction $g \in H(D)$ telle que*

1) $\|f - g\|_F < \varepsilon$.
2) $g(z_n) = f(z_n); n \in \mathbb{N}$.
3) $g^{(k)}(z_n) = W_{n,k}; 1 \leq k \leq p_n; n \in \mathbb{N}$.

c) REMARQUES: Si $F = \mathbb{R}$, $D = \mathbb{C}$, on obtient un résultat de L. Hoischen (1975) et si $F^0 = \emptyset$, un théorème de L. Rubel-Venkateswaran (1976). Si F est un ensemble d'approximations méromorphes (au lieu d'holomorphes), i.e. $A(F) = \overline{M_F(D)}^F$, le théorème reste vrai pour $g \in M_F(D)$. Finalement, si on ne considère qu'un nombre fini de points d'interpolation, alors ces points peuvent être dans F^0 et le théorème est une conséquence immédiate du lemme de Walsh (voir par exemple Deutsch (1966)).

d) APPLICATION (Arakeljan; communication orale): *Soit F un ensemble fermé d'un domaine D tel que $D^*\backslash F$ soit connexe et localement connexe et soient $f, g \in A(F)$, $g(z) \neq 0$ sur F et $\|g\|_F = A < \infty$. Alors il existe une fonction $h \in H(D)$ telle que $|f(z) - h(z)| < g(z)$ pour tout $z \in F$.*

En effet, il existe une fonction $h_1 \in H(D)$ telle que $\|\frac{1}{g} - h_1\|_F < 1/2A$, ce qui entraîne que

$$|h_1(z)| > |1/g(z)| - \frac{1}{2A} \geq 1/|2g(z)|$$

sur F. D'autre part, $1/h_1$ est une fonction dans $M(D)$ dont les pôles $\{z_i; i \in \mathbb{N}\}$ appartiennent à $D\backslash F$. D'après le théorème (1.3.29,4b) avec $F_1 = F \cup \bigcup_{i \in \mathbb{N}} \{z_i\}$, il existe $b \in H(D)$ telle que $1/4 < \|b\|_F < 1/2$ et $h_2 = b/h_1 \in H(D)$ qui ne s'annule pas sur $\{z_i; i \in \mathbb{N}\}$, donc $|h_2(z)| < \frac{1}{2|h_1(z)|} < |g(z)|$ si $z \in F$. Finalement il existe une fonction $h_3 \in H(D)$ avec $\|\frac{f}{h_2} - h_3\|_F < 1$. Donc $h = h_2 \cdot h_3$ satisfait l'énoncé.

En considérant $g(z) = \varepsilon \cdot d^n/(z - z_0)^n$, où $z_0 \in D\backslash F$, $d = \text{dist}(z_0, F)$, on obtient le même exemple que dans (1.3.26).

5) S. Scheinberg (1979) a établi des critères pour l'approximation uniforme sur des ensembles fermés F d'une surface de Riemann R (compacte ou ouverte) essentiellement de genre fini. Nous dirons qu'une fonction $f: F \to \overline{\mathbb{C}}$ est localement approchable par des fonctions holomorphes (respectivement méromorphes) s'il existe pour chaque $p \in F$ un disque paramétrique D_p de centre p, tel que $f \in \overline{H(D_p \cap F)}^{D_p \cap F}$ (respectivement $\overline{M(D_p \cap F)}^{D_p \cap F}$) et nous écrirons $f \in \overline{H_{loc}(F)}$ (respectivement $\overline{M_{loc}(F)}$). Le résultat fondamental est le suivant:

THÉORÈME: *Soient R une surface de Riemann, $F \subset R$ un ensemble fermé essentiellement de genre fini avec $R\backslash F \neq \emptyset$ et $P \subset R\backslash F$. Alors les énoncés suivants sont équivalents:*

a) $\overline{H_{loc}(F)} \subset \overline{M_{R\backslash P}(R)}^F$;

b) $\overline{M_{loc}(F)} \subset \overline{M_{R\backslash (P \cup F)}(R)}^F$;

c) $H(F) \subset \overline{M_{R\backslash P}(R)}^F$;

d) $M(F) \subset \overline{M_{R\backslash (P \cup F)}(R)}^F$;

e) *Pour tout ensemble compact K, il existe un ensemble compact $K' \supset K$ tel que chaque composante connexe précompacte de $R\backslash (F \cup K')$ contient au moins un point de P. En particulier, ceci est vrai pour $K' = \emptyset$ si $K = \emptyset$.*

Chapitre 2

APPROXIMATION UNIFORME HARMONIQUE SUR DES ENSEMBLES FERMÉS

2.1. Introduction

Soit F un ensemble fermé d'un domaine D dans R^n, $n \geq 2$, ou d'une surface de Riemann R. Par analogie avec le premier chapitre, nous utiliserons les notations:

$h(F)$ = l'ensemble des fonctions harmoniques sur un ensemble F.

$a(F) = C(F) \cap h(F^0)$.

$\overline{h(D)}^F$ = la fermeture de $h(D)$ par rapport à la convergence uniforme sur F.

Le problème correspondant est de trouver des conditions telles qu'on ait $\overline{h(D)}^F = a(F)$ (problème de type Walsh) ou $h(F) \subset \overline{h(D)}^F$ (problème de type Runge).

Considérons maintenant un anneau $\{\underline{x}; \delta_1 < \|\underline{x} - \underline{y}\| < \delta_2\} \subset R^n$ et une fonction u qui est harmonique dans cet anneau. Alors u admet une série de Laurent de la forme

$$(2.1.1) \quad u(\underline{x}) = p_0 K(\underline{x},\underline{y}) + \sum_{k=1}^{\infty} \frac{p_k(\underline{x}-\underline{y})}{\|\underline{x}-\underline{y}\|^{n-2+2k}} + \sum_{k=0}^{\infty} q_k(\underline{x}-\underline{y}),$$

où p_k et q_k sont des polynômes harmoniques et homogènes de degré k et où K est le noyau newtonien

$$K(\underline{x},\underline{y}) = \begin{cases} -\log\|\underline{x} - \underline{y}\| & \text{si } n = 2 \\ \|\underline{x} - \underline{y}\|^{2-n} & \text{si } n > 2 \end{cases}.$$

Un fait remarquable est que pour tout polynôme harmonique et homogène de degré k, $p_k(\underline{x} - \underline{y})/\|\underline{x} - \underline{y}\|^{n-2+2k}$ est aussi harmonique si $\underline{x} \neq \underline{y}$. Cela provient de la transformation de Kelvin, qui correspond à l'inversion par rapport à la sphère $S(\underline{y},\rho)$:

si $\underline{x}^* = \underline{y} + \rho^2(\underline{x} - \underline{y})/\|\underline{x} - \underline{y}\|^2$, alors $f^*(\underline{x}^*) = f(\underline{x})\|\underline{x} - \underline{y}\|^{n-2}/\rho^{n-2}$.

Si $\underline{y}$ est une singularité isolée de u, alors (2.1.1) devient:

(2.1.2) $\qquad u(\underline{x}) = S_{\underline{y}}(\underline{x}) + u_{\underline{y}}(\underline{x}), \quad 0 < \|\underline{x} - \underline{y}\| < \rho$,

où

$$u_{\underline{y}} \in h(\{\underline{x}; \|\underline{x} - \underline{y}\| < \rho\})$$

et $S_{\underline{y}}$ est la partie singulière

$$S_{\underline{y}}(\underline{x}) = p_0 K(\underline{x},\underline{y}) + \sum_{k=1}^{\infty} p_k(\underline{x} - \underline{y})/\|\underline{x} - \underline{y}\|^{n-2+2k} \in h(\overline{\mathbb{R}}^n \{\underline{y}\}).$$

Nous disons qu'une singularité isolée $\underline{y}$ de u est *non essentielle* si la série de $S_{\underline{y}}$ ne contient qu'un nombre fini de termes et *newtonienne* si tous les p_k, $k \geq 1$, sont nuls, c'est-à-dire

(2.1.3) $\qquad u(\underline{x}) = p_0 K(\underline{x},\underline{y}) + u_{\underline{y}}(\underline{x})$

dans un voisinage de $\underline{y}$.

Une fonction u est dite *essentiellement harmonique* sur un ouvert Ω si u est harmonique sur Ω sauf pour des singularités non essentielles et elle est dite *newtonienne* si u est harmonique sur Ω sauf pour des singularités newtoniennes. Nous utiliserons les notations suivantes:

$m(F)$ = l'ensemble des fonctions essentiellement harmoniques sur F (sur un voisinage de F).

$m_F(D)$ = l'ensemble des fonctions essentiellement harmoniques sur D n'ayant aucune singularité sur F.

$n(F)$ = l'ensemble des fonctions newtoniennes sur F.

$n_F(D)$ = l'ensemble des fonctions newtoniennes sur D sans singularité sur F.

De plus $\overline{m(D)}^F$, $\overline{m_F(D)}^F$, $\overline{n(D)}^F$ et $\overline{n_F(D)}^F$ désignent les fermetures des espaces correspondants par rapport à la convergence uniforme sur F.

Le premier résultat que nous mentionnons correspond au théorème de Runge et est essentiellement dû à Walsh.

THÉORÈME (2.1.4): *Soit K un ensemble compact de R^n. Alors on a* $n(K) \subset \overline{n(R^n)}^K$. *De plus, si $R^n \setminus K$ est connexe, on a* $h(K) \subset \overline{h(R^n)}^K$.

DÉMONSTRATION: Soit $u \in n(K)$ et $\varepsilon > 0$. Sans perte de généralité, on peut supposer que $u \in h(K)$. En effet, si $S_1, \ldots, S_m$ sont les parties singulières de u sur K et $v_0 \in n(R^n)$ une fonction telle que $\|u - \sum_{k=1}^m S_k - v_0\|_K < \varepsilon$, alors

$$v = v_0 + \sum_{k=1}^m S_k \in n(R^n) \quad \text{et} \quad \|u - v\|_K < \varepsilon .$$

Soit donc $u \in h(K)$. On peut trouver un prolongement $\tilde{u}$ de u tel que $\tilde{u} \in C_0^\infty(R^n) \cap h(K)$ et $\tilde{u}$ admet donc la représentation (formule de Green)

$$\tilde{u}(x) = C_n \int_{R^n} K(\underline{x},\underline{y}) \Delta \tilde{u}(\underline{y}) dm_{\underline{y}} = C_n \int_{R^n} K(\underline{x},\underline{y}) d\mu(\underline{y})$$

où m signifie la mesure de Lebesgue sur les boréliens de R^n. Le support de la mesure μ est un ensemble compact K_1 disjoint de K. On peut donc approcher cette intégrale uniformément sur K par une somme de Riemann:

$$v(\underline{x}) = \sum_{j=1}^{N} \lambda_j K(\underline{x},\underline{y}_j), \quad \underline{y}_j \in K_1 .$$

Alors $v \in n(\mathbb{R}^n)$ et $\|v - \tilde{u}\|_K = \|v - u\|_K < \varepsilon$.

Démontrons maintenant la deuxième partie du théorème. Puisque $\mathbb{R}^n \setminus K$ est connexe, il existe, pour chaque k, un chemin qui relie la singularité $\overline{y}_k$ au point ∞ sans passer par K. Comme dans la preuve de (1.3.19), nous allons balayer les singularités. Pour cela, nous utilisons le lemme suivant, qui correspond à (1.3.12).

LEMME (2.1.5): *Soient* $u \in h(\mathbb{R}^n \setminus \{\underline{y}_1\})$ *et* $\underline{y}_1 \in B(\underline{y}_2,\rho) = \{\underline{x}; \|\underline{x} - \underline{y}_2\| < \rho\}$. *Alors il existe une fonction* $v \in h(\mathbb{R}^n \setminus \{\underline{y}_2\})$ *telle que* $\|u - v\|_{\mathbb{R}^n \setminus B(\underline{y}_2,\rho)} < \varepsilon$.

DÉMONSTRATION du lemme: D'après (2.1.3), nous avons

$$u(\underline{x}) = p_0 K(\underline{x},\underline{y}_2) + \sum_{k=1}^{\infty} p_k(\underline{x} - \underline{y}_2)/\|\underline{x} - \underline{y}_2\|^{n-2+2k} + u_{\underline{y}_2}(\underline{x}) .$$

Comme cette série converge uniformément dans $\mathbb{R}^n \setminus B(\underline{y}_2,\rho)$ il existe un $N(\varepsilon)$ tel que

$$v(\underline{x}) = p_0 K(\underline{x},\underline{y}_2) + \sum_{k=1}^{N(\varepsilon)} p_k(\underline{x} - \underline{y}_2)/\|\underline{x} - \underline{y}_2\|^{n-2+2k} + u_{\underline{y}_2}(x)$$

satisfait au lemme.

Pour terminer la preuve du théorème, nous procédons exactement de la même manière que dans la démonstration de (1.3.19).

REMARQUE (2.1.6): La preuve ci-dessus nous donne immédiatement que $m(K) \subset \overline{m_{R^n \setminus (P \cup K)}(R^n)}^K$, où P est un sous-ensemble quelconque de $R^n \setminus K$ tel que chaque composante précompacte de $R^n \setminus K$ contient au moins un point de P.

COROLLAIRE (2.1.7): *Soient* $\{\underline{y}_k; k \in \mathbb{N}\}$ *une suite de points dans un domaine* D *de* R^n *qui ne contient aucun point d'accumulation dans* D *et*

$$S_k(\underline{x}) = \lambda_k K(\underline{x}, \underline{y}_k) + u_k(\underline{x}), \quad k \in \mathbb{N},$$

où $u_k(\underline{x}) \in h(\{\underline{y}_k\})$. *Alors il existe une fonction* $g \in n(D)$ *telle que* $g \in h(D \setminus \bigcup_{k \in \mathbb{N}} \{\underline{y}_k\})$ *et* $g - S_k \in h(\{\underline{y}_k\})$, $k \in \mathbb{N}$.

DÉMONSTRATION: Soit $\{D_k; k \in \mathbb{N}\}$ une exhaustion de D par des domaines précompacts. Sans perte de généralité, on peut supposer que $\underline{y}_k \in V_k \subset D_k \setminus \overline{D_{k-1}}$, $k \in \mathbb{N}$, où $D_0 = \emptyset$ et V_k un voisinage de $\underline{y}_k$ tel que $u_k \in h(\overline{V_k})$. D'après (2.1.4), il existe une fonction $u_1 \in n(R^n)$ telle que $\|u_1 - S_1\|_{V_1} < \varepsilon/2$. De plus, (2.1.4) nous donne $u_2 \in n(R^n)$ telle que

$$\|u_2 - S_2\|_{V_2} < \varepsilon/2^2 \quad \text{et} \quad \|u_2 - u_1\|_{D_1} < \varepsilon/2^2.$$

En continuant ainsi, nous obtenons une suite $\{u_n \in n(R^n); n \in \mathbb{N}\}$ qui satisfait à

$$\|u_n - S_n\|_{V_n} < \varepsilon/2^n \quad \text{et} \quad \|u_n - u_{n-1}\|_{D_{n-1}} < \varepsilon/2^n.$$

Alors $\lim_{n \to \infty} u_n = u \in n(D)$ possède les propriétés désirées.

Pour une surface de Riemann R, nous avons:

THÉORÈME (2.1.8) (Pfluger, 1957; Boivin-Gauthier 1981): *Soit* K *un ensemble compact d'une surface de Riemann* R. *Alors* $n(K) \subset \overline{n(R)}^K$. *De plus, si* R

est ouverte et $R^*\backslash K$ est connexe, alors $h(K) \subset \overline{h(R)^K}$.

Le deuxième énoncé est dû à Pfluger (1957) qui a utilisé la représentation de $u \in h(K)$ par la formule de Green et une approximation de l'intégrale par des sommes de Riemann. Une exhaustion régulière de R et un théorème de balayage des singularités donne le résultat. Evidemment (2.1.7) se démontre de la même manière pour les surfaces de Riemann ouvertes.

En particulier nous avons:

LEMME (2.1.9) (Solution du problème de Cousin, Pfluger (1957)): *Soit $\{O_i; i \in I\}$ un recouvrement par ouverts d'une surface de Riemann ouverte R. Si $u_i \in m(O_i)$ sont des fonctions telles que $u_i - u_j \in h(O_i \cap O_j)$, $i,j \in I$, alors il existe une fonction $u \in m(R)$ telle que $g - u_i \in h(O_i)$, $i \in I$.*

Soit $u \in n(K)$ et $\varepsilon > 0$. D'après (2.1.9) il existe une fonction $v_1 \in n(R)$ telle que $v_1 - u \in h(K)$ (on prend pour O_1 un ouvert qui contient K et pour O_2 un ouvert qui contient $R\backslash O_1$ tels que $u = u_1 \in n(O_1) \cap h(O_1\backslash O_2)$, et on pose $u_2 \equiv 0$ sur O_2). Soit G un voisinage de K tel que $R^*\backslash G$ est connexe et G est borné par des courbes de Jordan analytiques. Selon un résultat de Pfluger (1957), il existe $v_2 \in n(G)$ avec $\|v_1 - u - v_2\|_K < \varepsilon/2$. Une fois de plus, il existe $v_3 \in m(R)$ tel que $v_3 - v_2 \in h(\overline{G})$ et finalement $v_4 \in h(R)$ avec $\|v_4 - v_3 + v_2\|_K < \varepsilon/2$. Donc $v = v_4 - v_3 - v_1 \in m(R)$ et $\|v - u\|_k < \varepsilon$.

LEMME (2.1.10): *Soit $\{z_k; 1 \leq k \leq m\}$ un ensemble fini de points sur une surface de Riemann compacte R et supposons que les parties principales*

$$S_k(z) = \mathrm{Re}(\sum_{n=1}^{\infty} \alpha_{k,n}(z - z_k)^{-n}) + \gamma_k \cdot \log|z - z_k|$$

soient les données du problème de Cousin en coordonnées locales. Une condition nécessaire et suffisante pour qu'il existe $u \in h(R \setminus \bigcup_{k=1}^{m} \{z_k\})$ telle que $u - S_k \in h(\{z_k\})$, $1 \leq k \leq m$, est que $\sum_{k=1}^{m} \gamma_k = 0$.

On trouvera une démonstration de (2.1.10) dans, par exemple, Ahlfors et Sario (1960, pp.148-154). Notons que u est unique à une constante près.

LEMME (2.1.11): *Soit K un ensemble compact d'une surface de Riemann compacte R. Alors $m_K(R) \subset \overline{n_K(R)}^K$.*

En effet, considérons une singularité non essentielle de $u \in m_K(R)$ au point p. Choisissons un disque paramétrique $D(0, \rho)$ autour de cette singularité tel que $D(0, \rho) \cap K = \emptyset$ et approchons le potentiel $\operatorname{Re} \alpha/z^n$ par des singularités newtoniennes dans ce disque. Soient donc $A_m \uparrow \infty$, $a_m \downarrow 0$ deux suites de nombres positifs telles que $\lim_{m \to \infty} A_m a_m^n = \alpha$. Alors

$$\lim_{m \to \infty} \sum_{k=1}^{n} \frac{A_m}{n} \log \left| \frac{z}{z - a_m e^{2\pi i k/n}} \right| = \operatorname{Re} \alpha/z^n.$$

D'après (2.1.10), il existe une fonction $u_m \in n(R)$ dont les seules singularités sont

$$\sum_{k=1}^{n} \frac{A_m}{n} \log \left| \frac{z}{z - a_m e^{2\pi i k/n}} \right|$$

dans le disque paramétrique $D(0, \rho)$ et il existe une fonction $u_p \in n(R)$ dont la seule singularité est $\operatorname{Re} \alpha/z^n$ au point p. De plus, d'après Rodin-Sario (1968, p.52), on peut choisir des fonctions u_m telles que $u_m \to u_p$ uniformément hors de tout voisinage de p, en particulier sur K.

Démontrons maintenant le théorème pour le cas d'une surface de Riemann compacte R. Soit K un ensemble compact de R et supposons que $u \in n(K)$. Si $K = R$, il n'y a rien à dire. Soit donc $K \neq R$ et considérons la surface de Riemann ouverte $R_p = R\setminus\{p\}$, où $p \in R\setminus K$. Soit $\varepsilon > 0$. D'après le cas précédent, il existe une fonction $v_1 \in m(R_p)$ telle que $\|u - v_1\|_K < \varepsilon/3$.

On peut même supposer que v_1 n'admet qu'un nombre fini de singularités (voir Pfluger (1957)) et que p est donc une singularité isolée de v_1, c'est-à-dire qu'on a un voisinage V de p sur lequel v_1 admet la représentation

$$v_1(z) = \alpha \log|z - z_p| + \mathrm{Re}\, f(z), \quad f \in h(V\setminus\{p\}) .$$

D'après Röhrl (1964), il existe $g_1 \in M(R_p)$ avec $g_1 - f \in M(\{p\})$. Nous appliquons maintenant le théorème de Köditz-Timmann pour obtenir une fonction $g_2 \in M(R)$ telle que $\|g_2 - g_1\|_K < \varepsilon/3$. Donc $v_2 = v_1 - \mathrm{Re}\, g_1 + \mathrm{Re}\, g_2 \in m(R)$ et

$$\|v_2 - u\|_K \leq \|u - v_1\|_K + \|g_2 - g_1\|_K < 2\varepsilon/3 .$$

Finalement, nous appliquons le lemme (2.1.11) à v_2 et $\varepsilon_1 = \varepsilon/3$, ce qui nous donne la fonction désirée.

Soit maintenant R une surface de Riemann ouverte $u \in n(K)$ et soit G un voisinage précompact de K tel que $R^*\setminus G$ est connexe, et qui est borné par un nombre fini de courbes de Jordan disjointes. Alors G admet une extension compacte G_1 et il existe $v_1 \in n(G_1)$ tel que $\|v_1 - n\|_K < \varepsilon/2$ et le procédé du premier cas nous donne l'approximation désirée.

REMARQUE (2.1.12): Si $P \subset R\setminus K$ est tel que chaque composante connexe de $R\setminus K$ contient au moins un point de P, alors $m(K) \subset \overline{m_{R\setminus(K\cup P)}(R)}^K$.

Considérons maintenant le cas $a(K)$ où K est un ensemble compact de R^n ou d'une surface de Riemann R. D'abord pour R^2, il n'y a aucune relation entre les deux ensembles

$$A_1 = \{K; a(K) = \overline{h(K)}^K\} = \{K; a(K) = \overline{n_K(C)}^K\}$$

et

$$A_2 = \{K; A(K) = \overline{H(K)}^K\} = \{K; A(K) = \overline{M_K(C)}^K\}.$$

Kissick (1963) a donné un exemple d'un $K \in A_1 \setminus A_2$ et on trouve un exemple d'un $K \in A_2 \setminus A_1$, dans Gauthier-Hengartner-Labrèche (1981).

Une première caractérisation des ensembles $K \subset R^n$ qui satisfont à $a(K) = \overline{h(K)}^K$ est due à Deny. Un ensemble $E \subset R^n$ est dit *effilé* en un point $\underline{x} \in R^n$ si ou bien $\underline{x} \notin \overline{E}$ ou bien il existe une fonction sous-harmonique V dans R^n telle que $\overline{\lim_{\substack{\underline{y} \in E \\ \underline{y} \to \underline{x}}}} V(\underline{y}) < V(\underline{x})$.

THÉORÈME (Deny, 1949): *Pour que* $a(K) = \overline{h(K)}^K$, $K \subset R^n$, *il faut et il suffit que* $R^n \setminus K$ *et* $R^n \setminus K^0$ *soient effilés aux mêmes points.*

Remarquons que ce théorème nous rappelle celui de Vitushkin quant à la caractérisation des ensembles d'approximation holomorphe sur K.

2.2. <u>Lemmes de fusion</u>

Dans cette section, nous présentons des lemmes de fusion newtoniens. Nous allons utiliser la notation

$$D^{\underline{\alpha}} = \frac{\partial^{|\underline{\alpha}|}}{\partial x_1^{\alpha_1} \cdots \partial x_n^{\alpha_n}}$$

où $\underline{x} = (x_1, \ldots, x_n)$, $\underline{\alpha} = (\alpha_1, \ldots, \alpha_n)$ et $|\underline{\alpha}| = \sum_{k=1}^{n} \alpha_k$.

A)

LEMME (2.2.1) (Lemme de fusion de type Runge pour $n > 2$; Gauthier-Goldstein-Ow, 1981): *Soient E_1 un ensemble compact et E_2 un ensemble fermé de $\mathbb{R}^n$, $n > 2$, et soit U un voisinage de $E_1 \cap E_2$. Alors, pour tout multi-indice $\underline{\alpha}$, il existe une constante $C_{\underline{\alpha}}$ ne dépendant que de E_1, E_2 et U telle que, si $u_1 \in n(\mathbb{R}^n)$ et $u_2 \in n(\mathbb{R}^n)$, il existe $h \in n(\mathbb{R}^n)$ avec*

$$\|D^{\underline{\alpha}}(h - u_j)\|_{E_j} \leq C_{\underline{\alpha}} \|u_1 - u_2\|_U, \quad j = 1,2 .$$

DÉMONSTRATION: Soient Ω_1, Ω_2 deux domaines bornés tels que $\partial\Omega_1 \in C^1$, $\partial\Omega_2 \in C^1$ et

$$E_1 \subset \Omega_1, \; \overline{\Omega}_1 \subset \Omega_2, \; \overline{\Omega}_2 \subset \mathbb{R}^n \setminus (E_2 \setminus U)$$

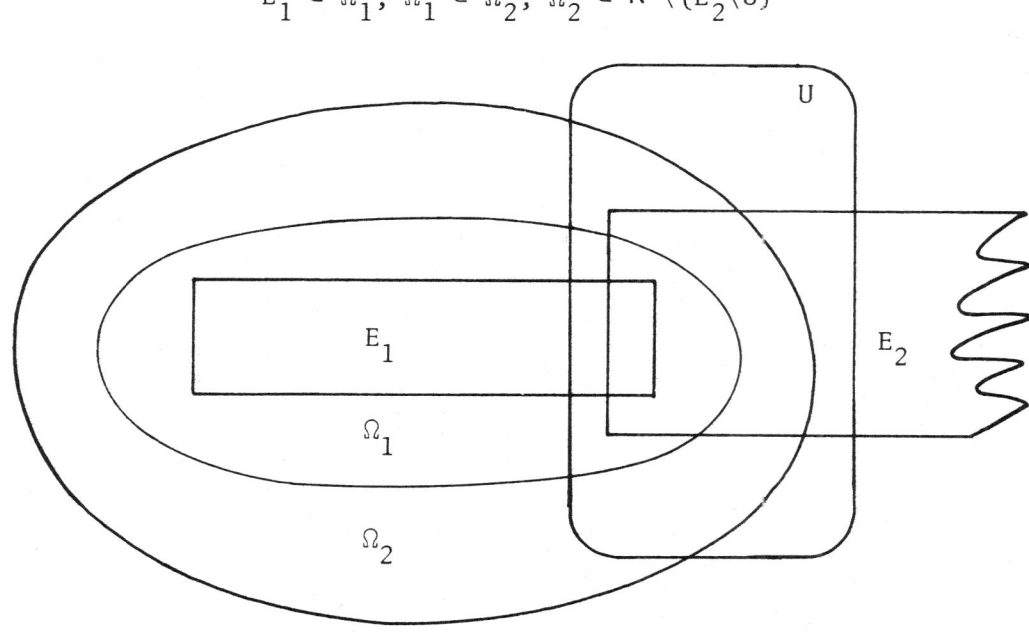

Les domaines Ω_1 et Ω_2.
Fig. 2.1.

Comme dans la section 1.2, nous pouvons supposer sans perte de généralité que $u_2 \equiv 0$, et nous écrivons $u_1 = u$. Il s'agit donc de trouver des constantes $C_{\underline{\alpha}}$ indépendantes de u et une fonction $h \in n(\mathbb{R}^n)$ telles que

(2.2.2) $\quad \|D^{\alpha}(h-u)\|_{E_1} < C_{\alpha}\|u\|_U \quad$ et $\quad \|D^{\alpha}u\|_{E_2} \leq C_{\alpha}\|u\|_U$.

Si $\|u\|_U = \infty$ ou 0, il n'y a rien à montrer; soit donc $0 < \|u\|_U < \infty$.

Nous introduisons maintenant deux domaines G_1, G_2 additionnels avec les propriétés suivantes:

$$E_1 \subset G_1 \subset \Omega_1, \quad \Omega_2 \subset G_2 \subset \mathbf{R}^n \setminus (E_2 \setminus U),$$

$$(G_2 \setminus G_1) \cap U = (\Omega_2 \setminus \Omega_1) \cap U,$$

$$d(\partial G_1, \partial \Omega_1) \leq \tfrac{1}{2} d(E_1, \partial \Omega_1),$$

$$d(\partial G_2, \partial \Omega_2) < \tfrac{1}{2} d(E_2 \setminus U, \partial \Omega_2),$$

et $\partial G_1 \in C^1$, $\partial G_2 \in C^1$ sans singularité de u. En d'autres mots, les $\partial \Omega_i$ sont un peu modifiés hors U dans un voisinage d'une singularité de u sur $\partial \Omega_i$.

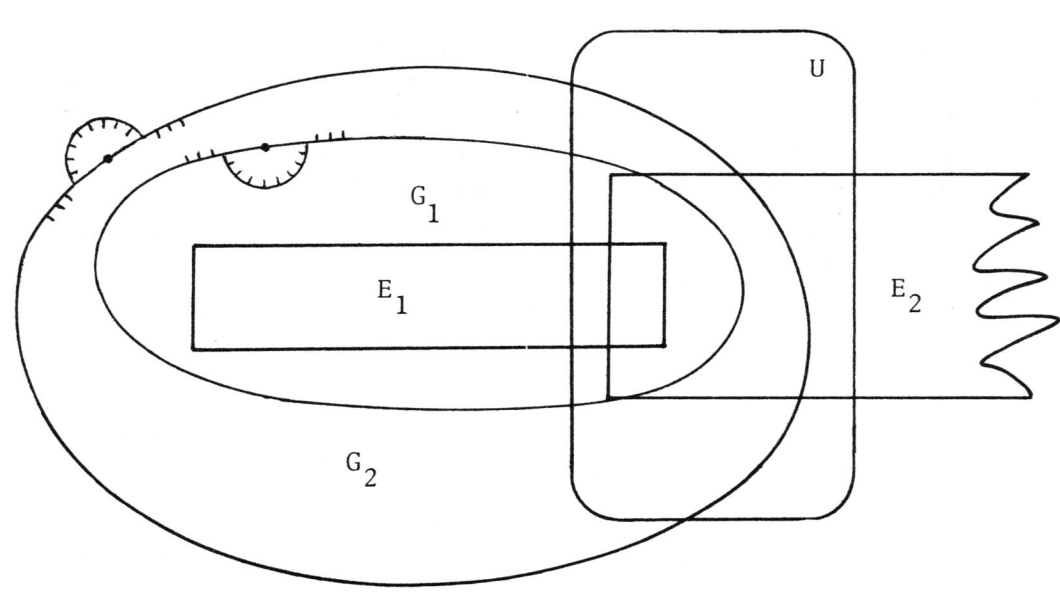

Les domaines G_1 et G_2.
Fig. 2.2

Soit $H \in C^{\infty}(\mathbb{R}^n)$ avec $H|_{\Omega_1} \equiv 1$, $H|_{\mathbb{R}^n \setminus \Omega_2} \equiv 0$ et $0 \leq H(\underline{x}) \leq 1$ sur $\mathbb{R}^n$ et posons

$$\psi(\underline{x}) = \begin{cases} H(\underline{x}) \cdot u(\underline{x}) & \text{si } \underline{x} \in G_2 \\ 0 & \text{si } \underline{x} \in \mathbb{R}^n \setminus G_2 \end{cases}.$$

Nous montrons maintenant que ψ satisfait au lemme ($\psi \in C^{\infty}$ hors des singularités de u appartenant à G_2 mais pas encore dans $n(\mathbb{R}^n)$), c'est-à-dire il faut trouver des constantes $C_{\underline{\alpha}}$ telles que

(2.2.2') $\|D^{\underline{\alpha}}(\psi - u)\|_{E_1} \leq C_{\underline{\alpha}} \|u\|_U$ et $\|D^{\underline{\alpha}} \psi\|_{E_2} \leq C_{\underline{\alpha}} \|u\|_U$.

La première inégalité est triviale parce que $\psi/E_1 \equiv u$. Pour la deuxième inégalité, il suffit de considérer $D^{\underline{\alpha}} \psi$ sur $E_2 \cap \overline{G_2}$ puisque $\psi|_{\mathbb{R}^n \setminus G_2} \equiv 0$. Notons que $D^{\underline{\alpha}} \psi$ est un polynôme dans les dérivées partielles de H et de u. Puisque le support de H est compact, $\|D^{\underline{\alpha}} H\|_{\mathbb{R}^n} < \infty$ pour tout $\underline{\alpha}$. D'autre part, en appliquant la formule de Poisson localement par rapport à $E_2 \cap \overline{\Omega}_2$, il existe des constantes $B_{\underline{\alpha}}$ indépendantes de u telles que

$$\|D^{\underline{\alpha}} u\|_{E_2 \cap \overline{\Omega}_2} \leq B_{\underline{\alpha}} \|u\|_U, \quad \underline{\alpha} \in \mathbb{R}^n.$$

Puisque Ω_2 est indépendant de u et $E_2 \cap \overline{G}_2 = E_2 \cap \overline{\Omega}_2$ d'après la définition de G_2, nous obtenons des constantes $C_{\underline{\alpha}}$ qui satisfont à (2.2.2').

Dans ce qui suit, nous construisons dans plusieurs étapes, une fonction $h \in n(\mathbb{R}^n)$ qui approche ψ et dont les dérivées partielles approchent celles de ψ. Soit V un voisinage de $E_2 \cap \overline{\Omega}_2$ avec $\overline{V} \subset U$ et $\partial V \in C^1$. Notons S l'ensemble des singularités de u sur G_1 et posons $W = G_1 \cup V \cup (\mathbb{R}^n \setminus G_2)$.

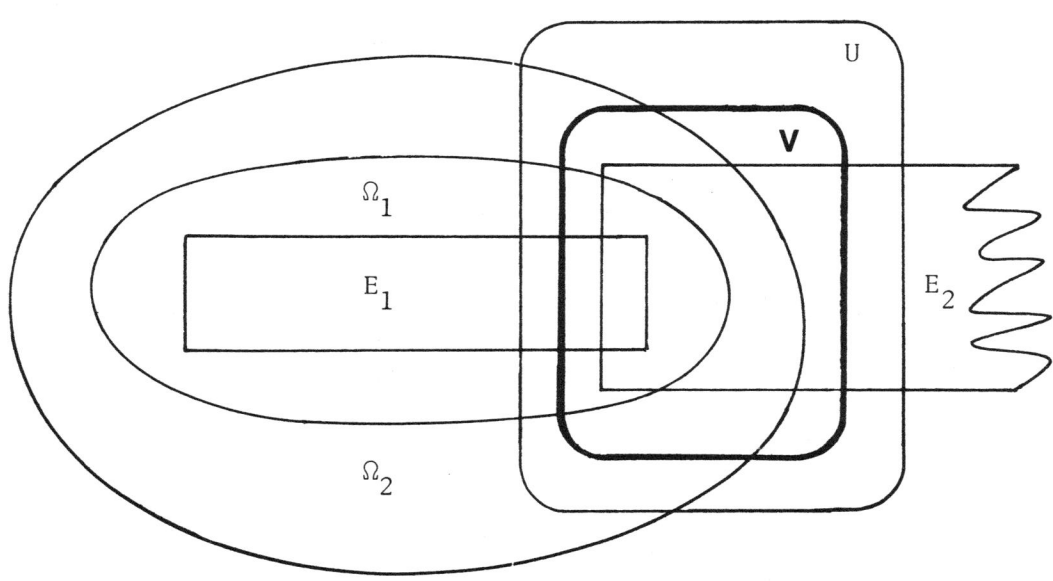

Le voisinage V de $E_1 \cap \overline{\Omega_2}$.
Fig. 2.3

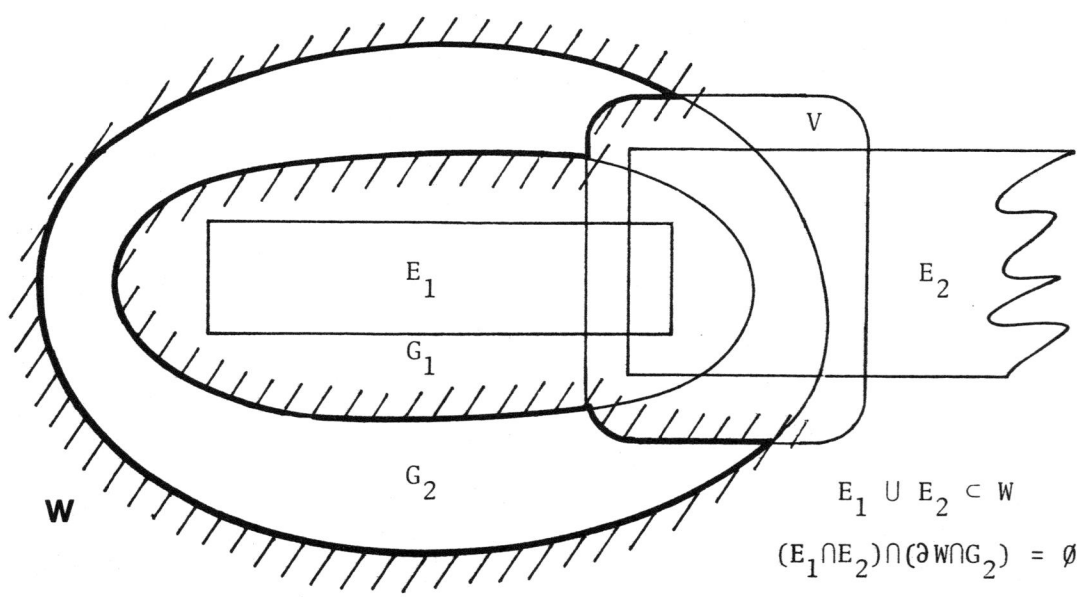

$E_1 \cup E_2 \subset W$

$(E_1 \cap E_2) \cap (\partial W \cap G_2) = \emptyset$

La région $W = G_1 \cup V \cup (\mathbf{R}^n \setminus G_2)$
Fig. 2.4

De la formule de Green nous tirons la représentation (2.2.3):

$$u(\underline{x}) \cdot \chi_D = \frac{-1}{(n-2)\omega_n} \int_D \frac{\Delta(u(\underline{y}))dm_n(\underline{y})}{\|\underline{x}-\underline{y}\|^{n-2}}$$

$$- \frac{1}{(n-2)\omega_n} \int_{\partial D} [u(\underline{y})\frac{\partial}{\partial \gamma}\left(\frac{1}{\|\underline{x}-\underline{y}\|^{n-2}}\right)$$

$$- \frac{1}{\|\underline{x}-\underline{y}\|^{n-2}}\frac{\partial u}{\partial \gamma}(\underline{y})]dm_{n-1}(\underline{y}); \quad \underline{x} \in \mathsf{R}^n \backslash \partial D$$

où a) D est un domaine borné avec $\partial D \subset C^1$;

b) $u \in C^2(\overline{D})$;

c) $\chi_D \equiv 1$ dans D et $\chi_D \equiv 0$ dans $\mathsf{R}^n \backslash \overline{D}$;

d) $\frac{\partial}{\partial \gamma}$ est la dérivée normale extérieure;

e) m_n est la mesure de Hausdorff de dimension n;

f) $\omega_n = m_{n-1}(\{\underline{x}; \|\underline{x}\| = 1\})$.

Si E est un ensemble quelconque de R^n, nous notons E_ε l'ensemble

$$E_\varepsilon = \{\underline{x} \in \mathsf{R}^n; \mathrm{dist}(\underline{x}, E) < \varepsilon\} .$$

Puisque $\psi|_{\mathsf{R}^n \backslash G_2} \equiv 0$, il découle de (2.2.3) que

$$\psi(\underline{x}) = \int_{W \backslash S_\varepsilon} + \int_{\partial(W \backslash S_\varepsilon)} = \int_{W \backslash S_\varepsilon} + \int_{\partial W} - \int_{\partial S_\varepsilon}$$

pour $\underline{x} \in W \backslash S_\varepsilon$ et ε suffisamment petit. De plus, parce que $\psi|_{S_\varepsilon \cap W} \equiv u$, $S_\varepsilon \cap W = S_\varepsilon \cap G_1$ et $\Delta u = 0$ sur $S_{\varepsilon_1} \backslash S_{\varepsilon_2}$, $\varepsilon_1 > \varepsilon_2$, nous définissons

$$\widetilde{\Delta \psi}(\underline{x}) = \begin{cases} 0, & \text{si } \underline{x} \in S \\ \Delta \psi(\underline{x}), & \text{dans les autres cas} \end{cases}$$

et pour $\underline{x} \in W$ la représentation (2.2.3) prend la forme (2.2.4):

$$\psi(\underline{x}) = \frac{-1}{(n-2)\omega_n} \int_W \frac{\widetilde{\Delta}\psi(\underline{y})dm_n(\underline{y})}{\|\underline{x}-\underline{y}\|^{n-2}}$$

$$- \frac{1}{(n-2)\omega_n} \int_{\partial W} [\psi(\underline{y})\frac{\partial}{\partial \gamma}\left(\frac{1}{\|\underline{x}-\underline{y}\|^{n-2}}\right)$$

$$- \frac{1}{\|\underline{x}-\underline{y}\|^{n-2}} \frac{\partial \psi}{\partial \gamma}(\underline{y})]dm_{n-1}(\underline{y}) - \sigma(\underline{x})$$

$$= I_1(\underline{x}) + I_2(\underline{x}) - \sigma(\underline{x})$$

où $\sigma(\underline{x}) = \lim\limits_{\varepsilon \to 0} \int_{\partial S_\varepsilon}$.

En appliquant la démonstration ci-haut à (2.2.2') et en remplaçant $E_2 \cap \overline{\Omega}_2$ par $\overline{V}$, on obtient des constantes $C_{\underline{\alpha}}$ telles que

(2.2.5) $$\|D^{\underline{\alpha}}\psi\|_{\overline{V}} \leq C_{\underline{\alpha}} \|u\|_U$$

et en particulier pour $D^{\underline{\alpha}} = \Delta$:

(2.2.5') $$\int_W \frac{\widetilde{\Delta}\psi(\underline{y})dm_n(\underline{y})}{\|\underline{x}-\underline{y}\|^{n-2}} < C\|u\|_U$$

où C ne dépend ni de u ni de $\underline{x}$.

Montrons maintenant que $\sigma \in n(\mathbb{R}^n)$. En effet, $\sigma \in h(\mathbb{R}^n \setminus S)$. De plus, pour ε suffisamment petit, $\psi|_{S_\varepsilon \setminus S} \equiv u$ entraîne, d'après (2.2.4) et (2.2.5'), que σ ne diffère d'une fonction newtonienne que par un terme borné (2.2.5'). Donc $\sigma \in n(\mathbb{R}^n)$. De plus, nous avons $\lim\limits_{\underline{x} \to \infty} \sigma(\underline{x}) = 0$.

La prochaine étape est d'approcher ψ et ses dérivées par une fonction $h_0 \in n(R^n \setminus (\partial W \cap G_2))$. Dans ce but, posons

(2.2.6) $$h_0(\underline{x}) = I_2(\underline{x}) - \sigma(\underline{x}) ,$$

où I_2 est définie dans (2.2.4). Puisque $\psi|_{R^n \setminus G_2} \equiv 0$, l'intégrale I_2 peut être calculée sur $\partial W \cap G_2$ au lieu de ∂W, i.e.

$$h_0(\underline{x}) = (\int_{\partial W \cap G_2}) - \sigma(\underline{x}) \quad \text{(voir Fig. 2.4)}.$$

Montrons que

(2.2.7) $$\|D^{\underline{\alpha}}(h_0 - \psi)\|_{E_1 \cup E_2} < C_{\underline{\alpha}} \|u\|_U$$

pour des constantes $C_{\underline{\alpha}}$ appropriées et indépendantes de u. Nous procédons par récurrence sur $|\underline{\alpha}|$. Notons d'abord que $h_0 - \psi \in C^\infty(W)$ et que $\Delta(h_0 - \psi) = -\Delta\psi$ sur W (voir, par exemple Gilberg-Trudinger (1977)). Si $|\underline{\alpha}| = 0$, (2.2.7) est une conséquence directe de (2.2.5').

Supposons maintenant que (2.2.7) soit vérifié pour un certain $\underline{\alpha}$, $|\underline{\alpha}| \geq 0$. Nous utilisons une modification d'un résultat qui est démontré dans Gilberg-Trudinger (1977, p.36). Soit $\Omega \subset R^n$ ouvert, f bornée dans Ω, v une solution bornée de $\Delta v = f$, $v \in C^2(\Omega) \cap C(\overline{\Omega})$. Alors, pour tout $\underline{x} \in \Omega$, v satisfait à l'inégalité

(2.2.8) $$\|\text{grad } v(\underline{x})\| \cdot \text{dist}(\underline{x}, \partial\Omega)$$
$$\leq \text{const} \cdot (\|v\|_\Omega + \|f\|_\Omega) \cdot (\text{dist}(\underline{x}, \partial\Omega))^2$$

où la constante ne dépend que de n.

Choisissons maintenant un $\varepsilon > 0$ tel que $\overline{(E_1)_\varepsilon} \subset G_1$ et $\overline{(E_2)_\varepsilon} \cap \overline{G_2} \subset V$

(donc $\overline{(E_1)_\varepsilon} \cup \overline{(E_2)_\varepsilon} \subset W$). La fonction ψ reste une fusion de u mais les constantes dépendent de ε. En particulier, (2.2.2'), (2.2.5) et (2.2.5') restent valables. Nous avons donc pour $|\underline{\alpha}| = 0$:

$$\|h_0 - \psi\|_{E_1 \cup E_2} \leq \|h_0 - \psi\|_{\overline{(E_1)_\varepsilon} \cup \overline{(E_2)_\varepsilon}} \leq C \cdot \|u\|_U .$$

Soit maintenant $|\underline{\alpha}| = 1$. Nous appliquons (2.2.8) à $v = h_0 - \psi$, $f = -\Delta\psi$, $\Omega = (E_1)_\varepsilon \cup (E_2)_\varepsilon$ et $\underline{x} \in \overline{(E_1)_{\varepsilon/2}} \cup \overline{(E_2)_{\varepsilon/2}}$ ce qui nous donne

$$\|\frac{\partial}{\partial x_k}(h_0 - \psi)\|_{\overline{(E_1)_{\varepsilon/2}} \cup \overline{(E_2)_{\varepsilon/2}}} \leq \text{const}\|h_0 - \psi\|_{\overline{(E_1)_\varepsilon} \cup \overline{(E_2)_\varepsilon}}$$

$$+ \text{const}\|\Delta\psi\|_{\overline{V}} \leq c_k \cdot \|u\|_U .$$

La récurrence sur $|\underline{\alpha}|$ suit exactement le même argument, passant de $\varepsilon_n = \varepsilon/n$ à $\varepsilon_{n+1} = \varepsilon/n+1$ et utilisant (2.2.5) ainsi que le résultat précédent. On a donc (2.2.2"):

$$\|D^{\underline{\alpha}}(h_0 - u)\|_{E_1} \leq C_{\underline{\alpha}}\|u\|_U \quad \text{et} \quad \|D^{\underline{\alpha}}h_0\|_{E_2} \leq C_{\underline{\alpha}}\|u\|_U .$$

La dernière étape est d'approcher h_0 et ses dérivées partielles par une fonction newtonienne. L'idée est de remplacer $\int_{\partial W \cap G_2}$ dans (2.2.6) par une somme de Riemann. Puisque V est un voisinage de $E_2 \cap \overline{G}_2$ les ensembles $\partial W \cap G_2$ et $E_1 \cup E_2$ sont disjoints (voir Fig. 2.4).

Soit B un voisinage borné de $\partial W \cap G_2$ tel que $\overline{B} \cap (E_1 \cup E_2) = \emptyset$. Nous choisissons une somme de Riemann $\sum$ de $\int_{\partial W \cap G_2} = I_2(\underline{x})$ pour laquelle $\|I_2 - \sum\|_{\partial B} < \|u\|_U$. Puisque $\sum - I_2 \in h(\mathbb{R}^n \setminus B)$ et $\lim_{\underline{x} \to \infty}(\sum - I_2)(\underline{x}) = 0$ nous avons,

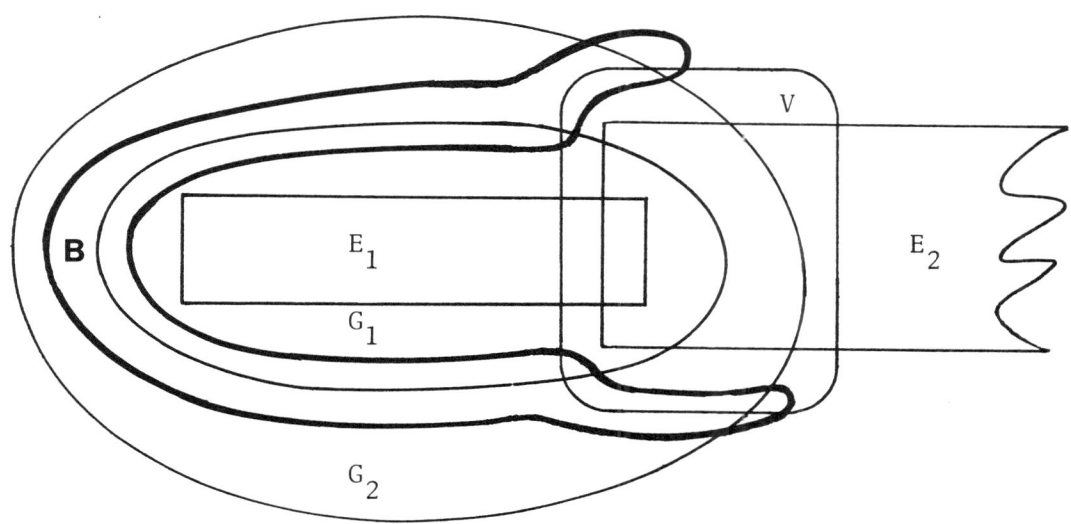

Le voisinage B de $\partial W \cap G_2$.
Fig. 2.5

par le principe du maximum, $\|I_2 - \Sigma\|_{\mathbb{R}^n \setminus B} < \|u\|_U$. Appliquant la formule de Poisson localement sur $E_1 \cup E_2$, nous obtenons aussi que, pour tout $\underline{\alpha}$, on a des constantes $C_{\underline{\alpha}}$ indépendantes de u avec

$$\|D^{\underline{\alpha}}(\Sigma - I_2)\|_{E_1 \cup E_2} \leq C_{\underline{\alpha}} \|u\|_U .$$

Appliquant (2.2.2'') et la définition de h_0 (2.2.6), nous obtenons que $\Sigma - \sigma$ est aussi une fusion de u, c'est-à-dire que pour tout $\underline{\alpha}$ il existe des constantes $C_{\underline{\alpha}}$ indépendantes de u telles que (2.2.2'''):

$$\|D^{\underline{\alpha}}(\Sigma - \sigma - u)\|_{E_1} \leq C_{\underline{\alpha}} \|u\|_U \quad \text{et} \quad \|D^{\underline{\alpha}}(\Sigma - \sigma)\|_{E_2} \leq C_{\underline{\alpha}} \|u\|_U .$$

La somme de Riemann Σ qui est de la forme

$$\Sigma(\underline{x}) = \sum_{k=1}^{N} \left[c_k \frac{\partial}{\partial \gamma_{\underline{y}}} \left(\frac{1}{\|\underline{x}-\underline{y}\|^{n-2}} \right) - \frac{d_k}{\|\underline{x}-\underline{y}\|^{n-2}} \right]\Big|_{\underline{y}=\underline{y}_k} = \Sigma_1(\underline{x}) - \Sigma_2(\underline{x})$$

n'est pas encore newtonienne parce que $\sum_1$ ne l'est pas. Nous avons donc à approcher

$$\frac{\partial}{\partial \gamma_{\underline{y}}}\left(\frac{1}{\|\underline{x}-\underline{y}\|^{n-2}}\right)\Big|_{\underline{y}=\underline{y}_k} = \text{grad}_{\underline{y}}\left(\frac{1}{\|\underline{x}-\underline{y}\|^{n-2}}\right)\Big|_{\underline{y}=\underline{y}_k}\underline{n}, \ 1 \leq k \leq N$$

par des fonctions newtoniennes sur $\mathbb{R}^n$. Sans perte de généralité, nous pouvons supposer que $\partial W \cap G_2$ admet au point $\underline{y}_k$ une direction normale, c'est-à-dire que le vecteur unité normal $\underline{n}$ existe en ces points. Soit
$\{\underline{y}_k(t) = \underline{y}_k + t \cdot \underline{n}; 0 \leq t \leq t_0\} \subset B$. D'après le théorème de l'accroissement fini, il existe pour tout $t \in (0, t_0)$ un $\underline{z}_k(t)$ sur le segment $[\underline{y}_k, \underline{y}_k(t)]$ tel que

$$\frac{\|\underline{x}-\underline{y}_k(t)\|^{2-n} - \|\underline{x}-\underline{y}_k\|^{2-n}}{\|\underline{y}_k(t)-\underline{y}_k\|} = \text{grad}_{\underline{y}}(\|\underline{x}-\underline{y}\|^{2-n})\Big|_{\underline{y}=\underline{z}_k(t)}\underline{n} \ ;$$

$\underline{x} \in \mathbb{R}^n \setminus B$, $1 \leq k \leq N$.

Notons que $\text{grad}_{\underline{y}}(\|\underline{x} - \underline{y}\|^{2-n})\Big|_{\underline{y}=\underline{z}_k(t)}$ est uniformément continue pour $0 \leq t \leq t_0$ et $\underline{x} \in \mathbb{R}^n \setminus B$. Donc il existe un $\delta > 0$ tel que $0 \leq t \leq \delta$ implique que pour tout k, $1 \leq k \leq N$:

$$\left\|\frac{\|\underline{x}-\underline{y}_k(t)\|^{2-n} - \|\underline{x}-\underline{y}_k\|^{2-n}}{\|\underline{y}_k(t)-\underline{y}_k\|} - \frac{\partial}{\partial \gamma_{\underline{y}}}(\|\underline{x} - \underline{y}\|^{2-n})\Big|_{\underline{y}=\underline{y}_k}\right\|_{\mathbb{R}^n \setminus B} < \frac{\|u\|_U}{N} \ .$$

En posant

$$\sum_0 = \sum_{k=1}^{N} \frac{\|\underline{x}-\underline{y}_k(\delta)\|^{2-n} - \|\underline{x}-\underline{y}_k\|^{2-n}}{\|\underline{y}_k(\delta)-\underline{y}_k\|}$$

qui est newtonienne, la fonction $h = (\sum_0 - \sum_2 - \sigma)$ vérifie le lemme pour le cas $u_2 \equiv 0$.

B)

LEMME (2.2.9) (Lemme de fusion de type Walsh pour $n > 2$; Gauthier-Hengartner-Labrèche, 1982): *Soient K_1 et K deux ensembles compacts et K_2 un ensemble fermé de R^n, $n > 2$, tels que $K_1 \cap K_2 = \emptyset$. Alors il existe une constante C ne dépendant que de K_1 et K_2 telle que si $u_1 \in n(R^n)$, $u_2 \in n(R^n)$, avec $\|u_1 - u_2\|_K \leq \varepsilon$ alors il existe $h \in n(R^n)$ avec $\|h - u_i\|_{K \cup K_i} < C \cdot \varepsilon$; $i = 1, 2$.*

REMARQUES (2.2.10): 1) En posant $E_1 = K_1 \cup K$ et $E_2 = K_2 \cup K$, ce lemme de fusion contient (2.2.1) pour $|\underline{\alpha}| = 0$.

2) Si $\|u_1 - u_2\|_K = \infty$, le lemme est trivial. Nous supposons donc, sans perte de généralité, que $\|u_1 - u_2\|_K < \infty$.

3) Nous allons montrer qu'il existe une constante $C > 1$ indépendante de u_i, $i = 1, 2$, et une fonction $h \in n(R^n)$ telle que

$$\|u_i - h\|_{K \cup K_i} \leq C\|u_1 - u_2\|_K, \quad i = 1, 2, \quad \text{si} \quad \|u_1 - u_2\|_K \neq 0.$$

Pour le cas $\|u_1 - u_2\|_K = 0$ l'énoncé du lemme se démontre comme suit: soit $\varepsilon_0 > 0$; alors $\|u_1 - u_2\|_K = 0 < \varepsilon_0$; posons

$$\hat{u}_1 = u_1 + \tfrac{1}{2}\varepsilon_0 .$$

Alors $\|\hat{u}_1 - u_2\|_K = \tfrac{1}{2}\varepsilon_0$ entraîne l'existence de $h \in n(R^n)$ avec

$$\|\hat{u}_1 - h\|_{K_1 \cup K} \leq \tfrac{1}{2}\varepsilon_0 C ,$$

c'est-à-dire

$$\|u_1 - h\|_{K_1 \cup K} \leq \tfrac{1}{2}C\varepsilon_0 + \tfrac{1}{2}\varepsilon_0 < C\varepsilon_0$$

et

$$\|u_2 - h\|_{K_2 \cup K} \leq \tfrac{1}{2}\varepsilon_0 C < C\varepsilon_0 .$$

De même, si $K = \emptyset$, le lemme est une conséquence immédiate de (2.1.4).

4) Comme dans la preuve de (2.2.1), nous allons poser $u_2 \equiv 0$ et $u_1 \equiv u$, avec $0 < \|u\|_K < \infty$.

5) La démonstration de ce lemme nous amène à une deuxième démonstration de (1.2.3).

DÉMONSTRATION de (2.2.9): Soient Ω_1 et Ω_2 deux ensembles ouverts et bornés tels que $K_1 \subset \Omega_1$, $\overline{\Omega}_1 \subset \Omega_2$ et $\Omega_2 \cap K_2 = \emptyset$ et soit V un voisinage borné de K tel que $\|u\|_V < 2\|u\|_K$. Nous avons donc avec $U_1 = \Omega_1$, $U_2 = R^n \setminus \overline{\Omega}_2$ et $U = V$ la même situation que dans la démonstration de (1.2.3).

Nous suivons maintenant la démonstration de (2.2.1) en remplaçant, si nécessaire, Ω_1 et Ω_2 par G_1 et G_2, et nous obtenons une première fusion $\psi \in C^\infty$ hors des singularités de u dans G_2:

$$\|\psi - u\|_{K \cup K_1} \leq \|u\|_K \quad \text{et} \quad \|\psi\|_{K \cup K_2} \leq \|u\|_K .$$

En posant $W = G_1 \cup V \cup (R^n - G_2)$, $S = $ l'ensemble de singularités de u dans G_1 et $S_\varepsilon = \varepsilon$-voisinage de S, la formule de Green (2.2.4) reste la même, c'est-à-dire (2.2.10):

$$\psi(\underline{x}) = -\alpha_n \int_{W \setminus S} K_n(\underline{x} - \underline{y}) \Delta \psi(\underline{y}) dm_n(\underline{y}) - \alpha_n \int_{\partial W} [\psi(\underline{y}) \underline{\nabla} K_n(\underline{x} - \underline{y})$$

$$- K_n(\underline{x} - \underline{y}) \underline{\nabla} \psi(\underline{y})] d\sigma_n(\underline{y}) - \sigma(\underline{x})$$

où $\alpha_n = 1/[(n-2)\omega_n]$, $d\sigma_n(\underline{y}) = \underline{\gamma} \cdot dm_{n-1}(\underline{y})$, $K_n(\underline{x}) = \|\underline{x}\|^{2-n}$ et $\underline{x} \in W \setminus S$.

Puisque pour tout $\varepsilon > 0$ assez petit et $\underline{x} \in W \setminus S_\varepsilon$ on a

$$\int_{W\backslash S_\varepsilon} K_n(\underline{x} - \underline{y})\Delta\psi(\underline{y})dm_n(\underline{y}) = \int_{W\backslash S_\varepsilon} K_n(\underline{x} - \underline{y})\Delta H(\underline{y})u(\underline{y})dm_n(\underline{y})$$

$$+ 2\int_{W\backslash S_\varepsilon} K_n(\underline{x} - \underline{y})\underline{\nabla}H(\underline{y})\underline{\nabla}u(\underline{y})dm_n(\underline{y})$$

et

$$\int_{\partial W\backslash \partial S_\varepsilon} u(\underline{y})\underline{\nabla}H(\underline{y})K_n(\underline{x} - \underline{y})\underline{d\sigma}_n(y) = \int_{\partial W} u(\underline{y})\underline{\nabla}H(\underline{y})K_n(\underline{x} - \underline{y})\underline{d\sigma}_n(\underline{y})$$

$$= \int_{W\backslash S_\varepsilon} [\underline{\nabla}u(y)\underline{\nabla}H(y)K_n(\underline{x} - \underline{y}) + u(\underline{y})\Delta H(\underline{y})K_n(\underline{x} - \underline{y}) + u(\underline{y})\underline{\nabla}H(\underline{y})\underline{\nabla}K_n(\underline{x} - \underline{y})]\underline{d\sigma}_n(y)$$

il s'ensuit que pour $\underline{x} \in W\backslash S$ la formule de Green (2.2.10) prend la forme (2.2.11):

$$\psi(\underline{x}) = \alpha_n \int_{W\backslash S} [\Delta H(\underline{y})K_n(\underline{x} - \underline{y}) + 2\underline{\nabla}H(\underline{y})\underline{\nabla}K_n(\underline{x} - \underline{y})]u(\underline{y})dm_n(\underline{y})$$

$$- \alpha_n \int_{\partial W} [\psi(\underline{y})\underline{\nabla}K_n(\underline{x} - \underline{y}) - \underline{\nabla}\psi(\underline{y})K_n(\underline{x} - \underline{y})$$

$$+ 2u(\underline{y})\underline{\nabla}H(\underline{y})K_n(\underline{x} - \underline{y})]\underline{d\sigma}_n(\underline{y}) - \sigma(\underline{x}) = I_1 + I_2 - \sigma(\underline{x}) .$$

REMARQUES: 1) $I_1 = \alpha_n \int_{W\backslash S} = \alpha_n \int_V$ existe pour tout $\underline{x} \in \mathbf{R}^n$.

2) $I_2 = -\alpha_n \int_{\partial W} = -\alpha_n \int_{(\partial W)\cap G_2}$ existe et est harmonique pour tout $\underline{x} \in \mathbf{R}^n\backslash[(\partial W) \cap G_2]$. Nous procédons maintenant à l'estimation de I_1. En effet,

$$|I_1(\underline{x})| \leq \|u\|_V \cdot \int_V [|\Delta H(\underline{y})|K_n(\underline{x} - \underline{y}) + 2\|\underline{\nabla}H(\underline{y})\|\|\underline{\nabla}K_n(\underline{x} - \underline{y})\|]dm_n$$

$$\leq 2\|u\|_K \cdot \int_{\mathbf{R}^n} = 2\|u\|_K \int_{\Omega_2\backslash\Omega_1}$$

et, tenant compte du fait que $K_n(\underline{x} - \underline{y})$ et $\underline{\nabla} K_n(x,y)$ tendent uniformément vers 0 si $\underline{y} \in \Omega_2 \setminus \Omega_1$ et $\underline{x} \to \infty$, nous avons pour tout $\underline{x} \in \mathbb{R}^n$:

(2.2.12) $$|I_1(\underline{x})| \leq \text{const} \cdot \|u\|_K .$$

Comme première conséquence immédiate, nous obtenons que $\sigma(\underline{x})$ est newtonienne. En effet $\sigma(\underline{x})$ appartient à $h(\mathbb{R}^n \setminus S)$ et diffère d'une fonction newtonienne dans un voisinage de S par un terme borné (2.2.12).

Une deuxième conséquence de (2.2.12) est le fait que $h_0(\underline{x}) = I_2(\underline{x}) - \sigma(\underline{x}) \in n(\mathbb{R}^n \setminus (G_2 \cap \partial W))$ est une fusion. En effet, pour $\underline{x} \in K_1 \cup K_2 \cup K(\subset W)$ on a

$$|h_0(\underline{x}) - \psi(\underline{x})| = |I_1(x)| \leq C_1 \|u\|_K$$

et donc

$$\|h_0 - u\|_{K \cup K_1} \leq \|h_0 - \psi\|_{K \cup K_1} + \|\psi - u\|_{K \cup K_1} \leq (1 + C_1)\|u\|_K ,$$

$$\|h_0\|_{K \cup K_2} \leq \|h_0 - \psi\|_{K \cup K_2} + \|\psi\|_{K \cup K_2} \leq (1 + C_1)\|u\|_K .$$

Finalement, l'approximation de h_0 par des sommes de Riemann et par des fonctions newtoniennes est semblable à celle de la preuve de (2.2.1).

REMARQUES (2.2.13): La démonstration ci-haut peut aussi être utilisée pour le lemme de fusion de A. Roth. En effet, remplaçant la formule de Green (2.2.11) par la formule de Pompeiu, nous avons

$$\psi(z) = -\frac{1}{\pi} \int_V \frac{f(\zeta)}{\zeta - z} \frac{\partial H}{\partial \bar{\zeta}}(\zeta) d\xi d\eta + \frac{1}{2\pi i} \oint_{G_2 \cap \partial W} \frac{f(\zeta) \cdot H(\zeta)}{\zeta - z} d\zeta - r(z)$$

$$= I_1(z) + I_2(z) - r(z) ,$$

où $r(z)$ est rationnelle et $|I_1(z)| \leq c \cdot \|f\|_K$.

C) <u>Le lemme de fusion pour les surfaces de Riemann</u>

Comme le noyau de Newton pour $n = 2$, $K_2(z) = -\log|z|$, ne reste pas borné lorsque $z \to \infty$, la démonstration de (2.2.9) ne s'applique plus. Gauthier-Goldstein-Ow (1980) ont démontré un lemme de fusion de type Runge pour les surfaces de Riemann ouvertes, qui est assez élaboré et incomplet. Ici nous donnons un lemme de fusion de type Walsh (qui contient celui de type Runge) pour les surfaces de Riemann arbitraires, en utilisant la technique de la section précédente. Cependant, ce lemme ne reste pas valable dans la généralité de (2.2.9) ou même de (2.2.1) avec $|\alpha| = 0$.

EXEMPLE (2.2.14): Soit $E_1 = \{z; |z| \leq 1\} \subset \mathbf{C}$, $E_2 = \{z; |z| \geq 1\}$, $u_1 \equiv \log 2$; $u_2(z) = \log|z|$ et $U = \{z; \frac{1}{2} < |z| < 2\}$. S'il existait une fonction $h \in n(\mathbf{C})$ et une constante C telles que

$$\|h - u_1\|_{E_1} \leq C \log 4 \quad \text{et} \quad \|h - u_2\|_{E_2} \leq C \log 4 ,$$

alors $f = h + ih^*$ appartiendrait à $H(\mathbf{C})$. La singularité isolée ∞ n'est pas une singularité essentielle parce que $\text{Re } f = h > 0$ dans un voisinage de ∞ (Théorème de Picard). Mais elle n'est pas non plus un pôle ou une singularité artificielle parce que $h = 0(\log|z|)$ pour $z \to \infty$ et $\|h(z) - \log|z|\|_{E_2} < \infty$, ce qui contredit l'existence de h et C.

Comme dans (1.2.4), il faut supposer que $E_1 \cup E_2 \cup U \neq R$.

Avant de prouver le lemme de fusion, il nous faut introduire la fonction de Green. Soit R une surface de Riemann <i>ouverte</i> et soit $R = \bigcup_{j=0}^{\infty} R_j$ une exhaustion régulière où R_0 est un disque paramétrique. Notons ω_j la mesure harmonique de ∂R_j par rapport au domaine $R_j \setminus \overline{R_0}$. Alors $\{\omega_j; j \in \mathbf{N}\}$ est une suite décroissante de fonctions harmoniques positives et d'après le principe de Harnack, $\omega = \lim_{j \to \infty} \omega_j$ existe et $\omega \in h(R \setminus R_0)$. Nous disons que R est *de frontière nulle* ou *positive* selon que ω soit identiquement nulle ou non. On dit aussi que R est *parabolique* si elle est de frontière nulle et R est *hyperbolique* si elle est de frontière positive. On sait qu'une surface de Riemann ouverte est hyperbolique si et seulement si elle admet une fonction surharmonique positive non constante. Ceci est aussi équivalent à l'existence d'une fonction de Green que nous allons définir.

Fixons $q \in R$. La fonction de Green $g(p,q)$ est l'infimum des fonctions surharmoniques positives v sur R ayant la propriété que dans un disque paramétrique de centre q, $D(0,1) = \{z; |z| < 1\}$, $v(z) + \log|z|$ soit bornée inférieurement (en d'autres mots, $v(z)$ domine $-\log|z|$ dans chaque disque paramétrique de centre q, $D(0,1)$).

Mentionnons quelques propriétés de la fonction de Green:

a) Dans un disque paramétrique de centre q, $D(0,1)$, on a
$g(p,q) = h(z) - \log|z|$, $h \in h(D(0,1))$.

b) On a $g(p,q) = g(q,p)$.

c) Soit $R = \bigcup_{j=1}^{\infty} R_j$ une exhaustion régulière de R hyperbolique et soient g_j les fonctions de Green pour R_j. Alors $g_j(p,q) = 0$ pour $p \in \partial R_j$ et $g_j \uparrow g$, où g est la fonction de Green de R. Une conséquence immédiate de ce fait est la suivante.

Soit $U \subset R$ un ensemble ouvert d'une surface de Riemann hyperbolique R et $K \subset U$ un ensemble compact. Alors $\|g(p,q)\|_{(R \setminus U) \times K} < \infty$.

En effet, soit $K \subset G$, $\overline{G} \subset U$. Alors pour tout j tel que $R_j \supset \overline{U}$, on a

$$\|g_j(p,q)\|_{(\overline{R}_j \backslash G) \times K} = \|g_j(p,q)\|_{\partial G \times K} ,$$

ce qui entraîne que

$$\|g(p,q)\|_{(R \backslash U) \times K} \leq \|g(p,q)\|_{\partial G \times K} < \infty .$$

d) Montrons qu'on a aussi $\|\nabla_q(g(p,q))\|_{(R \backslash U) \times K} < \infty$ où K et U sont définis ci-haut. Contrairement au cas précédent, les dérivées partielles dépendent de la carte choisie.

Soit $D(q,\rho)$ un disque paramétrique de centre q et rayon ρ. Si $u \in h\overline{(D(q,\rho))}$ alors il existe une constante C telle que $\|\nabla u\|_{D(q,\rho/2)} < C\|u\|_{D(q,\rho)}$. Si K est un ensemble compact de R et $u \in H(K)$, alors $K \subset \bigcup_{j=1}^{m} D(q_j,\rho/2)$ et $u \in h(\bigcup_{j=1}^{m} \overline{D(q_j,\rho)})$. Alors on a une constante c telle que

$$\|\nabla u\|_{D(q_j,\rho/2)} \leq c\|u\|_{\bigcup_{j=1}^{m} D(q_j,\rho)} .$$

Soit maintenant U un ensemble ouvert d'une surface de Riemann hyperbolique et $K \subset U$ un ensemble compact. Pour $K \subset \bigcup_{j=1}^{m} D(q_j,\rho/2)$ et $\bigcup_{j=1}^{m} \overline{D(q_j,\rho)} \subset U$, nous avons

$$\|\nabla_q(g(p,q))\|_{D(q_j,\rho/2)} \leq c\|g(p,q)\|_{\bigcup_{j=1}^{m} D(q_j,\rho)}$$

où $p \in R \backslash U$ est fixe et où la constante c ne dépend pas de p. Puisque $\|g(p,q)\|_{(R \backslash U) \times \bigcup_{j=1}^{m} D(q_j,\rho)} < \infty$, on a une constante c telle que

$$\|\nabla_q(g(p,q))\| < c \text{ si } q \in \bigcup_{1 \leq j \leq m} D(q_j,\rho/2) \text{ et } p \in R \backslash U, 1 \leq j \leq m .$$

Notons finalement que si R est une surface de Riemann ouverte et D un disque paramétrique, alors $R\setminus\overline{D}$ est une surface de Riemann hyperbolique. En effet, considérons $R = \bigcup_{k=0}^{\infty} R_k$, une exhaustion régulière de R, et $\{D_k; k \in \mathbb{N}\}$ une suite de disques emboîtés $D_k \downarrow \overline{D}$, de manière que $\{R_k\setminus\overline{D}_k; k \in \mathbb{N}\}$ soit une exhaustion de $R\setminus\overline{D}$ et $\overline{R}_0 \cap \overline{D} = \emptyset$.

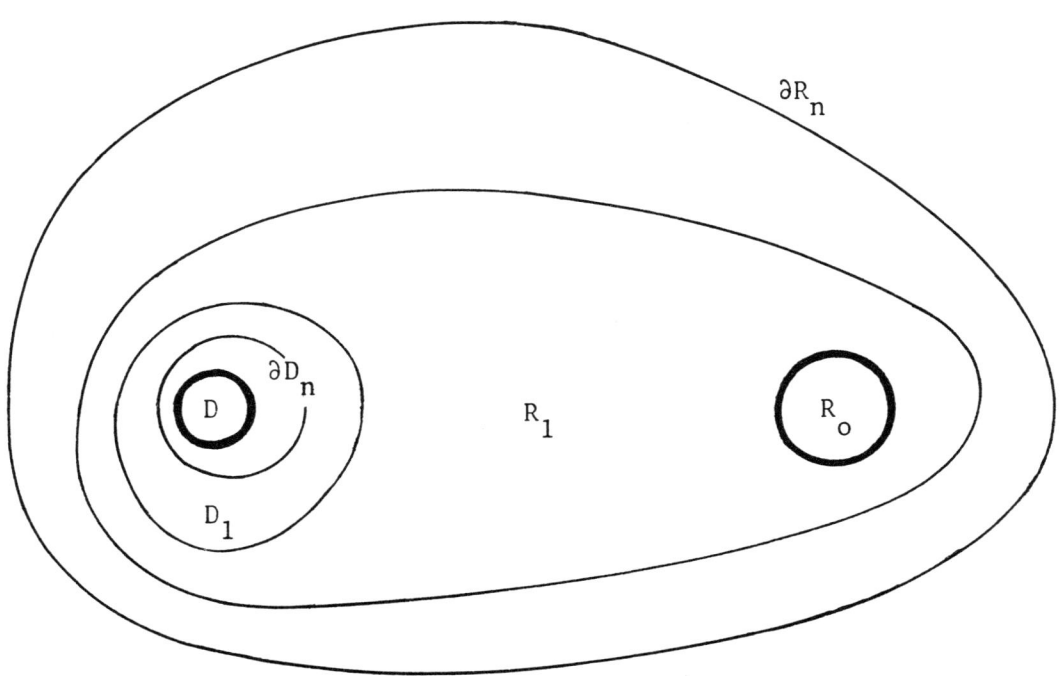

Soit ω_j la mesure harmonique de $\partial R_j \cup \partial D_j$ par rapport à $(R_j\setminus\overline{D}_j)\setminus\overline{R}_0$. Dénotant u la solution du problème de Dirichlet dans $(R_1\setminus\overline{R}_0)\setminus\overline{D}$ avec valeurs 1 sur ∂D et 0 sur $\partial R_0 \cup \partial R_1$, on a $\omega_j \geq u \neq 0$ sur $(R_1\setminus\overline{R}_0)\setminus\overline{D}$. Donc $R\setminus\overline{D}$ est hyperbolique.

EXEMPLES (2.2.15): 1) Considérons $R = \mathbb{C}$. Alors R est parabolique. En effet, il n'existe aucune fonction sous-harmonique bornée supérieurement et non constante sur $\mathbb{C}$ (Théorème de Liouville). De plus, si $R_0 = D(0,1)$ et

$R_j = D(0, j+1)$, alors $\omega_j(z) = (\log|z|)/\log(j+1) \to 0$, si $j \to \infty$.

2) La surface de Riemann $R = \mathbb{C}\setminus\overline{D(0,1)}$ est hyperbolique. En effet, $v(z) = 1/|z|$ est sous-harmonique, bornée supérieurement et non constante sur R. La fonction de Green est

$$g(z,\zeta) = \log(|z\overline{\zeta} - 1|/|z - \zeta|).$$

Remarquons que pour $\zeta \in R$ fixé, $\lim_{z\to\infty} g(z,\zeta) = \log|\zeta|$ est non nul et borné.

Nous sommes maintenant prêts à démontrer le lemme de fusion de type Walsh.

LEMME (2.2.16) (Lemme de fusion pour les surfaces de Riemann; Gauthier-Hengartner-Labrèche, 1982): *Soient K_1 et K deux ensembles compacts et K_2 un ensemble fermé d'une surface de Riemann R arbitraire tels que $K_1 \cap K_2 = \emptyset$ et $K_1 \cup K \cup K_2 \neq R$. De plus, soit D un disque paramétrique tel que $\overline{D} \subset R\setminus(K_1 \cup K \cup K_2)$. Alors il existe une constante C ne dépendant que de K_1 et K_2 telle que si $u_1 \in m(R\setminus\overline{D})$ et $u_2 \in m(R\setminus\overline{D})$ avec $\|u_1 - u_2\|_K < \varepsilon$, on a une fonction $h \in m(R\setminus\overline{D})$ avec $\|u_i - h\|_{K \cup K_i} < C\varepsilon$; $i = 1, 2$.*

DÉMONSTRATION: Nous procédons de la même manière que dans la démonstration de (2.2.9). Nous supposons que $u_2 \equiv 0$, $u_1 \equiv u$ avec $0 < \|u\|_K < \infty$ et nous définissons de la même manière Ω_1, Ω_2, G_1, G_2, ψ, V et W. La fonction ψ est une fusion avec u, c'est-à-dire, nous avons

$$\|\psi - u\|_{K \cup K_1} \leq \|u\|_K \quad \text{et} \quad \|\psi\|_{K \cup K_2} \leq \|u\|_K.$$

Dans la formule de Green (2.2.10) et (2.2.11), nous remplaçons K_n par la fonction de Green g correspondante à $R\setminus\overline{D}$. Elles sont encore valables et indépendantes de la paramétrisation de R parce que chaque intégrale est une forme différentielle d'ordre 1 ou 2. En d'autres mots, nous avons (2.2.17):

$$\psi(z) = \frac{1}{2\pi} \int_V [\Delta H(\zeta)g(\zeta,z) + 2\underline{\nabla}H(\zeta)\underline{\nabla}g(\zeta,z)]u(\zeta)d\xi d\eta$$

$$- \frac{1}{2\pi} \int_{\partial W \cap G_2} [\psi(\zeta)\underline{\nabla}g(\zeta,z) - g(\zeta,z)\underline{\nabla}\psi(\zeta) + 2u(\zeta)g(\zeta,z)\underline{\nabla}H(\zeta)]\underline{d\sigma}(\zeta) - \sigma(z) \ .$$

En posant $h_0 = I_2 - \sigma$, on montre comme dans le théorème (2.2.1) que

$$\|h_0 - u\|_{K_1 \cup K} \leq \text{const}\|u\|_K \quad \text{et} \quad \|h_0\|_{K_2 \cup K} \leq \text{const}\|u\|_K \ ,$$

où la constante ne dépend pas de u, et que $\sigma \in m(R)$.

En ce qui concerne l'approximation de I_2 par des sommes de Riemann, nous avons d'abord, pour $z \in K_1 \cup K \cup K_2$ fixé,

$$\int_{\partial W \cap G_2} = \sum_{k=1}^m \int_{\gamma_k}$$

où $\gamma_k \subset D(q_k, \rho/2)$; $\overline{D(q_k,\rho)} \cap (K_1 \cup K \cup K_2) = \emptyset$.

Il suffit donc d'approcher $\int_{\gamma_k}$ par des sommes de Riemann, ce qui est possible parce que $g(z,\zeta)$ et $\frac{\partial g}{\partial n}(z,\zeta)$ sont bornées pour $z \in K_1 \cup K \cup K_2$ et $\zeta \in \gamma_k$. De plus $g(z,\zeta_i) \in n(R\setminus\overline{D})$, et $\frac{\partial g}{\partial n}(z,\zeta_i) \in m(R\setminus\overline{D})$. Si R est un domaine de $\mathbb{C}$, le lemme est aussi vrai pour $n(R\setminus\overline{D})$.

COROLLAIRE (2.2.18): *Soit R un domaine de $\mathbb{C}$, E_1 un ensemble compact et E_2 un ensemble fermé de R tel que $E_1 \cup E_2 \neq R$. De plus, soit U un voisinage de $E_1 \cap E_2$ et D un disque dans $\overline{\mathbb{C}}$ tel que $\overline{D} \cap (E_1 \cup E_2) = \emptyset$. Alors on* peut fusionner (de type Runge) les dérivées partielles au sens suivant: il existe des constantes $C_{\underline{\alpha}}$, $|\underline{\alpha}| \leq m$, telles que, si u_1 et $u_2 \in n(R \setminus \overline{D})$, alors on a une fonction $h \in n(R \setminus \overline{D})$ avec $\|D^{\underline{\alpha}}(u_i - h)\|_{E_i} \leq C_{\underline{\alpha}} \|u_1 - u_2\|_U$; $i = 1, 2$.

2.3. Théorème d'approximation harmonique sur les ensembles fermés

Les théorèmes de localisation qui nous donnent des caractérisations d'ensembles d'approximation uniforme par des fonctions harmoniques constituent la partie principale de ce paragraphe. Commençons d'abord par un théorème de type Runge pour les ensembles fermés de R^n, $n > 2$.

THÉORÈME (2.3.1) (Gauthier-Goldstein-Ow, 1981): *Soient* F *un ensemble fermé dans un domaine* D *de* R^n, $u \in n(F)$ *et* $\varepsilon > 0$. *Alors il existe* $v \in n(D)$ *telle que pour tout* $m \in N$ *et tout* $\underline{\alpha}$ *avec* $|\underline{\alpha}| \leq m$, *on a* $\|D^{\underline{\alpha}}(u - v)\|_F \leq \varepsilon$.

DÉMONSTRATION: Sans perte de généralité, nous pouvons supposer que $u \in h(F)$. En effet, si $u \in n(F)$, alors il existe d'après (2.1.7) une fonction $u_1 \in n(D)$, telle que $u - u_1 \in h(F)$. Si $v_1 \in n(D)$ approche $u - u_1$, alors $v_1 + u_1$ approche u.

Soit donc $u \in h(F)$ et soit $\varepsilon > 0$ donné. Alors $u \in h(U)$, où U est un ouvert contenant F. De plus, soient G un ensemble ouvert, $F \subset G$, $\overline{G} \subset U$ et $D = \bigcup_{n=1}^{\infty} D_n$ une exhaustion de D par des ensembles ouverts relativement compacts. Posons $G_n = G \cap D_n$. Nous appliquons le lemme de fusion (2.2.1) à

$$E_1 = \overline{D}_n, \quad E_2 = F \setminus D_n \quad \text{et} \quad U = G_{n+1}$$

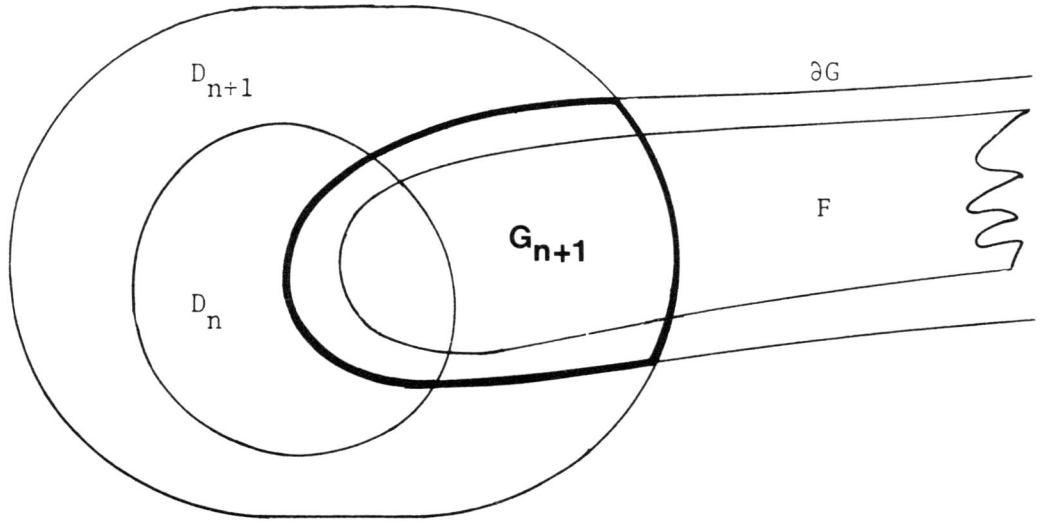

et en obtenons les constantes $C_{\underline{\alpha},n}$ correspondantes. Nous pouvons même supposer que $1 < C_{\underline{\alpha},n} < C_{\underline{\alpha},n+1}$.

D'après le théorème (2.1.4), il existe pour $\delta_k > 0$ donné une fonction $q_k \in n(\mathbf{R}^n)$ telle que

$$\|q_k - u\|_{\overline{G_{k+1}}} < \delta_k; \quad k \in \mathbf{N}$$

ce qui entraîne aussi que

$$\|q_{k+1} - q_k\|_{\overline{G_{k+1}}} < 2\delta_k .$$

Posons maintenant $F_0 = \emptyset$ et $F_k = F \cap \overline{D}_k$, $k \in \mathbf{N}$. Appliquant la formule de Poisson localement à q_k sur F_k, nous obtenons des constantes $D_{\underline{\alpha},k}$ telles qu'on a pour les dérivées partielles:

$$\|D^{\underline{\alpha}}(q_k - u)\|_{F_k} < \delta_k \cdot B_{\underline{\alpha},k} .$$

Nous fusionnons maintenant $q_k|_{\overline{D}_k \cup \overline{G}_{k+1}}$ et $q_{k+1}|_{(F \setminus D_k) \cup \overline{G}_{k+1}}$ c'est-à-dire il existe $r_k \in n(\mathbb{R}^n)$ telle que

$$\|D^{\underline{\alpha}}(r_k - q_k)\|_{\overline{D}_k} < 2\delta_k C_{\underline{\alpha},k}$$

et

$$\|D^{\underline{\alpha}}(r_k - q_{k+1})\|_{F \setminus D_k} < 2\delta_k C_{\underline{\alpha},k} .$$

Nous choisissons maintenant les δ_k de la sorte que

$$\delta_k \leq 2^{-(k+1)} \varepsilon / C_{\underline{\alpha},k} \quad \text{et} \quad \delta_k \leq 2^{-(k+1)} \varepsilon / B_{\underline{\alpha},k}, \ |\underline{\alpha}| \leq m, \ m \in \mathbb{N}$$

et nous posons

$$v = q_1 + \sum_{k=1}^{\infty} (r_k - q_k) .$$

Le choix des δ_k nous assure que $v \in n(D)$, puisque la somme converge uniformément sur D_n pour $k > n$. De plus, si $\underline{x} \in F$, alors on a pour $|\underline{\alpha}| \leq m$:

$$\|D^{\underline{\alpha}}(v - u)\|_{F_1} \leq \|D^{\underline{\alpha}}(q_1 - u)\|_{F_1} + \sum_{1}^{\infty} \|D^{\underline{\alpha}}(r_k - q_k)\|_{F_1} < \varepsilon .$$

D'autre part, pour $\underline{x} \in F_k \setminus F_{k-1}$, $k \geq 2$, on a

$$|D^{\underline{\alpha}}(v - u)(\underline{x})| \leq \sum_{n=1}^{k-1} |D^{\underline{\alpha}}(r_n - q_{n+1})(\underline{x})| + |D^{\underline{\alpha}}(q_k - u)(\underline{x})|$$

$$+ \sum_{n=k}^{\infty} |D^{\underline{\alpha}}(r_n - q_n)(\underline{x})|$$

$$\leq \sum_{n=1}^{k-1} 2 \cdot \delta_n C_{\underline{\alpha},n} + \delta_k B_{\underline{\alpha},k} + \sum_{n=k}^{\infty} \delta_n C_{\underline{\alpha},n} < \varepsilon ,$$

ce qui établit le théorème pour $n \geq 3$.

Le théorème suivant est le théorème de localisation pour l'approximation harmonique sur les ensembles fermés de R^n, $n > 2$.

THÉORÈME (2.3.2) (Gauthier-Hengartner-Labrèche, 1982): *Soit F un ensemble fermé d'un domaine D de R^n, $n > 2$, et soit $\{O_i ; i \in I\}$ un recouvrement de F par des ouverts O_i. Une fonction $u \in C(F)$ appartient à $\overline{n_F(D)}$ si et seulement si $u|_{F \cap \overline{O}_i} \in \overline{n(D)}^{F \cap \overline{O}_i}$ pour tout $i \in I$ pour lequel $F \cap \overline{O}_i \neq \emptyset$.*

DÉMONSTRATION: Si $u \in \overline{n_F(D)}$ alors $u|_{F \cap \overline{O}_i} \in \overline{n(D)}^{F \cap \overline{O}_i}$. Montrons donc la suffisance de la condition. Remarquons que la condition entraîne que $u \in a(F)$.

a) Soit d'abord F un ensemble compact de R^n. Nous procédons de la même manière que dans la preuve de (1.3.3), remplaçant les disques par des boules et les fonctions rationnelles par des fonctions newtoniennes, et utilisant le lemme de fusion (2.2.10) et le théorème (2.1.4).

b) Soit maintenant F un ensemble fermé d'un domaine D de R^n, $n \geq 3$. Supposons que les ensembles O_i soient précompacts et forment une exhaustion de D. La démonstration pour ce cas suit celle de (1.3.5) où les g_n appartiennent à $n(D)$ et où on utilise (2.2.10).

c) Finalement le cas général s'obtient de a) et de b) comme dans (1.3.8').

Nous passons maintenant à des théorèmes de localisation pour l'approximation harmonique sur les ensembles fermés, d'une surface de Riemann R. Les résultats sont dus à Gauthier-Hengartner-Labrèche (1982).

Nous disons que $X \subset R$ *satisfait au théorème de localisation* si on a la propriété suivante:

PROPRIÉTÉ (2.3.3): Soit F un ensemble fermé de R, $F \subset X \subset R$ et $\{O_i; i \in I\}$ un recouvrement de F par des ensembles O_i ouverts et précompacts. Alors on a pour $u \in C(F)$: $u \in \overline{m_F(X)}^F \iff u|_{F \cap \overline{O_i}} \in \overline{m(X)}^{F \cap \overline{O_i}}$ pour tout $i \in I$. Remarquons que la condition est trivialement nécessaire. Nous ne démontrons donc, chaque fois, que la suffisance.

PROPOSITION (2.3.4): *Soit F un ensemble fermé d'une surface de Riemann R et D un disque paramétrique de R avec $\overline{D} \cap F = \emptyset$. Alors le théorème de localisation est vrai pour $X = R \backslash \overline{D}$.*

La démonstration procède comme celle de (2.3.2). Si F est un ensemble compact de R, nous considérons des disques paramétriques et nous utilisons le lemme de fusion (2.2.16) et (2.1.8). Dans les deux autres cas (b et c) on remplace n par m.

THÉORÈME (2.3.5): *Soit F un ensemble fermé d'une surface de Riemann R arbitraire et $p \in R \backslash F$. Alors $X = R \backslash \{p\}$ satisfait au théorème de localisation.*

DÉMONSTRATION: Soit $D(p,\rho)$ un disque paramétrique de centre p tel que $\overline{D(p,\rho)} \subset R \backslash F$. Puisque

$$u|_{F \cap \overline{O_i}} \in \overline{m(R \backslash \overline{D(p,\rho/j)})}^{F \cap \overline{O_i}} \text{ pour tout } j \in \mathbb{N},$$

nous avons donc d'après (2.3.4) pour un $\varepsilon > 0$ donné, une fonction $v_1 \in m(R \backslash \overline{D(p,\rho/2)})$ avec $\|v_1 - u\|_F < \varepsilon/2$. De plus, il existe des fonctions $v_j \in m(R \backslash \overline{D(p,\rho/(j+1))})$ avec

$$\|v_j - v_{j-1}\|_{R \backslash \overline{D(p,\rho/(j-1))}} < \varepsilon/2^j, \quad j = 2,3,\ldots .$$

Alors $v = \lim_{j\to\infty} v_j \in m(R\setminus\{p\})$ et $\|v - u\|_F \leq \varepsilon$.

THÉORÈME (2.3.6): *Soit F un ensemble fermé d'une surface de Riemann arbitraire. Si $R\setminus F$ n'est pas précompact dans R, alors R satisfait au théorème de localisation.*

DÉMONSTRATION: Soit $\{p_j \in R\setminus F; j \in \mathbb{N}\}$ avec $\lim_{j\to\infty} p_j = \{*\}$ (point idéal de R) et soit $R = \bigcup_{j=1}^{\infty} R_j$ une exhaustion de R telle que $p_j \in R_{j+1}\setminus\overline{R_j}$. Puisque $u|_{F\cap\overline{O}_i} \in \overline{m(R\setminus\{p_j\})}^{F\cap\overline{O}_i}$ pour tout $j \in \mathbb{N}$, nous avons donc d'après (2.3.5) pour un $\varepsilon > 0$ donné une fonction $v_1 \in m(R\setminus\{p_1\})$ telle que $\|v_1 - u\|_F < \varepsilon/2$. De plus, il existe des fonctions $v_j \in m(R\setminus\{p_j\})$ telles que $\|v_j - v_{j-1}\|_{F\cup\overline{R_j}} < \varepsilon/2^j$, $j = 2,3,\ldots$. Alors $\lim_{j\to\infty} v_j = v \in m(R)$ et on a $\|u - v\|_F < \varepsilon$.

Un autre cas particulier est:

THÉORÈME (2.3.7): *Soit F un ensemble fermé d'une surface de Riemann de genre fini. Alors R satisfait au théorème de localisation.*

DÉMONSTRATION: Si R est compact, alors le théorème est équivalent à (2.1.8; Boivin). Soit donc R une surface de Riemann ouverte, $p \in R\setminus F$ et $\varepsilon > 0$ donné. Puisque $u|_{F\cap\overline{O}_i} \in \overline{m(R\setminus\{p\})}^{F\cap\overline{O}_i}$, il existe d'après (2.3.5) une fonction $v_1 \in m(R\setminus\{p\})$ telle que $\|v_1 - u\|_F < \varepsilon/2$. Le corollaire (2.1.7) (qui est aussi vrai pour les surfaces de Riemann ouvertes) nous donne $v_2 \in m(\tilde{R}\setminus\{p\})$ telle que $v_2 - v_1 \in h(V(p)\setminus\{p\})$, où $\tilde{R}$ est une extension compacte de R (puisque le genre de R est fini) et $V(p)$ un voisinage approprié de p. En d'autres mots, nous avons un disque paramétrique de centre p, $D(0,1)$, tel que

$$v_2 - v_1(z) = A \log|z| + \mathrm{Re} \sum_{k=-\infty}^{\infty} a_k z^k ,$$

En choisissant un $p_1 \in R\setminus F$ et en y prescrivant la singularité $-A \log|z|$, il existe, d'après (2.1.10), une fonction $v_3 \in m(\tilde{R}\setminus\{p\})$ telle que $v_3 - (v_2 - v_1) \in h(\{p\})$. Finalement (2.1.8), nous donne $v_4 \in m(\tilde{R})$ telle que $\|v_4 + (v_3 - v_2)\|_F < \varepsilon/2$. Alors $v = v_4 + v_3 - v_2 + v_1 \in m(R)$ et $\|u - v\| < \varepsilon$.

COROLLAIRE (2.3.8): *Le théorème (2.3.2) vaut aussi pour* $n = 2$.

COROLLAIRE (2.3.9): *Si* F *est un ensemble fermé de genre essentiellement fini d'une surface de Riemann* R, *alors* R *satisfait au théorème de localisation.*

En effet, si $R\setminus F$ n'est pas précompact, le corollaire est une conséquence de (2.3.6). D'autre part, si $R\setminus F$ est précompact, alors R est de genre fini et (2.3.7) s'applique.

REMARQUES (2.3.10): 1) Chaque fois que le théorème de localisation est satisfait, on a immédiatement le théorème d'approximation de type Runge correspondant. Ainsi nous obtenons du corollaire (2.3.9) le résultat principal de l'article Gauthier-Goldstein-Ow (1980).

2) On peut caractériser les ensembles fermés d'approximation harmonique uniforme de R^n comme suit: $a(F) = \overline{m_F(R^n)}^F \iff R^n\setminus F$ et $R^n\setminus F^0$ sont affiliés aux mêmes points.

3) Si, dans le théorème (2.3.1), $D^*\setminus F$ est connexe et localement connexe et $u \in h(F)$, alors il existe $v_1 \in h(D)$ qui satisfait le théorème. En effet, on balaie les singularités de v de la même manière que dans (2.1.4).

4) Soit R une surface de Riemann ouverte. Si $R^*\setminus F$ est connexe et localement connexe et si de plus F est de genre essentiellement fini, alors on a

$h(F) \subset \overline{h(R)}^F$. On choisit une exhaustion $R = \bigcup_{j=1}^{\infty} R_j$ telle que $R_j \cap O_i = \emptyset$ si $i \geq j$ et $F \cap R_j$ est connexe.

5) Soit F un ensemble fermé d'une surface de Riemann ouverte. Si $h(F) \subset \overline{h(R)}^F$, alors on a:

a) si V est un ensemble ouvert et borné tel que $\partial V \subset F$, alors on a ou bien $V \subset F$ ou bien $V \cap F = \emptyset$ et

b) pour tout ensemble compact $K \subset R$, il existe un ensemble compact $K' \subset R$ qui contient toutes les composantes précompactes de $R \backslash (F \cup K)$ dont la fermeture rencontre K.

Ces deux conditions sont dues à Gauthier-Goldstein-Ow (1980). Remarquons que b) implique que $R^* \backslash F$ est localement connexe et que a) et b) entraînent que $\partial F = \partial \hat{F}$, où $\hat{F}$ est la réunion de F avec toutes les composantes précompactes de $R^* \backslash F$.

BIBLIOGRAPHIE

[1] AHLFORS-SARIO (1960), *Riemann Surfaces*. Princeton University Press.

[2] ARAKELYAN (1968), *Uniform and tangential approximations by analytic functions*. Izv. Akad. Nauk Armjan. SSR Ser. Mat. 3, 273-286.

[3] ARAKELYAN (1981), Communication orale.

[4] BEHNKE-STEIN (1949), *Entwicklung analytischer Funktionen auf Riemannschen Flächen*. Math. Ann. 120, 430-461.

[5] BISHOP (1958), *Subalgebras of functions on a Riemann surface*. Pacific J. Math. 8, 29-50.

[6] BOCHNER (1928), *Fortsetzung Riemannscher Flächen*. Math. Ann. 98, 406-421.

[7] BOIVIN-GAUTHIER (1981), *Approximation harmonique sur les surfaces de Riemann*. (À paraître.)

[8] BROWN-GAUTHIER-SEIDEL (1975), *Possibility of complex approximation on closed sets*. Math. Ann. 218, 1-8.

[9] CARLEMAN (1927), *Sur un théorème de Weierstrass*. Ark. Mat. Astronom. Fys.

20B, 1-5.

[10] DENY (1949), *Systèmes totaux de fonctions harmoniques.* Ann. Inst. Fourier 1, 103-113.

[11] GAUTHIER (1969), *Tangential approximation by entire functions and functions holomorphic in a disc.* Izv. Akad. Nauk Armjan. SSR Ser. Mat. 4, 319-326.

[12] GAUTHIER (1978), *Analytic approximation on closed subsets of open Riemann surfaces.* Proc. Conf. on Constructive Function Theory (Blagoevgrad), Sofia.

[13] GAUTHIER (1979), *Meromorphic uniform approximation on closed subsets of open Riemann surfaces,* dans Approximation Theory and Functional Analysis (J.B. Prolla, ed.), North-Holland, Amsterdam, 139-158.

[14] GAUTHIER-GOLDSTEIN-OW (1980), *Uniform approximation on unbounded sets by harmonic functions with logarithmic singularities.* Trans. Amer. Math. Soc. 261, 169-183.

[15] GAUTHIER-GOLDSTEIN-OW (1981), *Uniform approximation on closed sets by harmonic functions with Newtonian singularities.* (À paraître.)

[16] GAUTHIER-HENGARTNER (1973), *Approximation sur les fermés par des fonctions analytiques sur une surface de Riemann.* Comptes Rendus de l'Acad. Bulgare des Sciences (Doklady Bulgar. Akad. Nauk) t.26, 731.

[17] GAUTHIER-HENGARTNER (1975), *Uniform approximation on closed sets by functions analytic on a Riemann surface,* dans Approximation Theory (Z. Ciesielski and J. Musielak, eds.), Reidel, Dordrecht, 63-70.

[18] GAUTHIER-HENGARTNER (1977), *Complex approximation and simultaneous*

interpolation on closed sets. Can. J. Math. 29, 701-706.

[19] GAUTHIER-HENGARTNER-LABRÈCHE (1981), *Approximation harmonique, approximation holomorphe et topologie.* (À paraître.)

[20] GAUTHIER-HENGARTNER-LABRÈCHE (1982), *Une caractérisation des ensembles d'approximation harmonique de R^n ou d'une surface de Riemann.* (À paraître.)

[21] GILBERG-TRUDINGER (1977), *Elliptic Partial Differential Equations of Second Order.* Springer-Verlag.

[22] GUNNING-NARASIMHAN (1967), *Immersion of open Riemann surfaces.* Math. Ann. 174, 103-108.

[23] HOISCHEN (1975), *Approximation und Interpolation durch ganze Funktionen.* J. Approx. Theory 15, 116-123.

[24] KAPLAN (1955), *Approximation by entire functions.* Mich. Math. J. 3, 43-52.

[25] KISSICK (1963), voir BROWDER (1969), *Introduction to Function Algebras.* Benjamin Inc., 192-193.

[26] KODAMA (1965), *Boundary measures of analytic differentials and uniform approximation on a Riemann surface.* Pacific J. Math. 15, 1261-1277.

[27] KÖDITZ-TIMMANN (1975), *Randschlichte meromorphe Funktionen auf endlichen Riemannschen Flächen.* Math. Ann. 217, 157-159.

[28] MERGELYAN (1952), *Uniform approximations to functions of a complex variable.* Uspehi Mat. Nauk (N.S.) 7, no.2 (48), 31-122. Traduction: Translations Amer. Math. Soc. 3 (1962), 294-391.

[29] NEVANLINNA (1925), *Über eine Erweiterung des Poissonschen Integrals.* Ann.

Acad. Sci. Fennicae Ser. A 24, no.4, 1-15.

[30] NERSESIAN (1971), *On the Carleman sets* (en russe), Izv. Akad. Nauk. Armjan. SSR 6, 465-471.

[31] NERSESIAN (1972), *On the uniform and tangential approximation by meromorphic functions* (en russe), Izv. Akad. Nauk Armjan. SSR 7, 405-412.

[32] PFLUGER (1957), *Theorie der Riemannschen Flächen*. Springer-Verlag.

[33] RODIN-SARIO (1968), *Principal Functions*. Van Nostrand, Princeton.

[34] RÖHRL (1964), *Annexe de Hurwitz: Allgemeine Funktionentheorie und elliptische Funktionen*. Ed. 4, Springer-Verlag.

[35] ROTH (1938), *Approximationseigenschaften und Strahlengrenzwerte meromorpher und ganzer Funktionen*. Comment. Math. Helv. 11, 77-125.

[36] ROTH (1973), *Meromorphe Approximationen*. Comment. Math. Helv. 48, 151-176.

[37] ROTH (1976), *Uniform and tangential approximations by meromorphic functions on closed sets*. Canad. J. Math. 28, 104-111.

[38] ROTH (1978), *Uniform approximation by meromorphic functions on closed sets with continuous extension into the boundary*. Can. J. Math. 30, 1243-1255.

[39] RUBEL-VENKATESWARAN (1976), *Simultaneous approximation and interpolation by entire functions*. Arch. Math. 27, 526-529.

[40] RUNGE (1885), *Zur Theorie der eindeutigen analytischen Funktionen*. Acta Math. 6, 228-244.

[41] SCHEINBERG (1978), *Uniform approximation by functions analytic on a Riemann surface.* Ann. of Math. 108, 257-298.

[42] SCHEINBERG (1979), *Uniform approximation by meromorphic functions having prescribed poles.* Math. Ann. 243, 83-93.

[43] SCHEINBERG (1981), *Uniform approximation by meromorphic functions on Riemann surfaces, a revisit.* (À paraître.)

[44] SHAGINYAN (1971), *Uniform and tangential approximation of continuous functions on arbitrary sets.* Math. Zametki 9, no.2, 131-142.

[45] STRAY (1978), *On uniform and asymptotic approximation.* Math. Ann. 234, 61-68.

[46] STRAY (1980), *Vitushkin's method and approximation theory. Aspects of contemporary complex analysis.* NATO Adv. Study Inst. at Durham, Academic Press.

[47] WALSH (1935), *Interpolation and Approximation.* Coll. Series vol.20, Amer. Math. Soc.

LES PRESSES DE L'UNIVERSITÉ DE MONTRÉAL
C.P. 6128, Montréal, succ. «A», Qué., Canada   H3C 3J7

EXTRAIT DU CATALOGUE

Mathématiques

COLLECTION «SÉMINAIRE DE MATHÉMATIQUES SUPÉRIEURES»
1. **Problèmes aux limites dans les équations aux dérivées partielles.** Jacques L. LIONS
2. **Théorie des algèbres de Banach et des algèbres localement convexes.** Lucien WAELBROECK
3. **Introduction à l'algèbre homologique.** Jean-Marie MARANDA
4. **Séries de Fourier aléatoires.** Jean-Pierre KAHANE
5. **Quelques aspects de la théorie des entiers algébriques.** Charles PISOT
6. **Théorie des modèles en logique mathématique.** Aubert DAIGNEAULT
7. **Promenades aléatoires et mouvement brownien.** Anatole JOFFE
8. **Fondements de la géométrie algébrique moderne.** Jean DIEUDONNÉ
9. **Théorie des valuations.** Paulo RIBENBOIM
10. **Catégories non abéliennes.** Peter HILTON, Tudor GANEA, Heinrich KLEISLI, Jean-Marie MARANDA, Howard OSBORN
11. **Homotopie et cohomologie.** Beno ECKMANN
12. **Intégration dans les groupes topologiques.** Geoffrey FOX
13. **Unicité et convexité dans les problèmes différentiels.** Shmuel AGMON
14. **Axiomatique des fonctions harmoniques.** Marcel BRELOT
15. **Problèmes non linéaires.** Felix E. BROWDER
16. **Équations elliptiques du second ordre à coefficients discontinus.** Guido STAMPACCHIA
17. **Problèmes aux limites non homogènes.** José BARROS-NETO
18. **Équations différentielles abstraites.** Samuel ZAIDMAN
19. **Équations aux dérivées partielles.** Robert CARROL, George F.D. DUFF, Jöran FRIBERG, Jules GOBERT, Pierre GRISVARD, Jindrich NECAS et Robert SEELEY
20. **L'Algèbre logique et ses rapports avec la théorie des relations.** Roland FRAÏSSE
21. **Logical Systems Containing Only a Finite Number of Symbols.** Leon HENKIN
24. **Représentabilité et définissabilité dans les algèbres transformationnelles et dans les algèbres polyadiques.** Léon LEBLANC
25. **Modèles transitifs de la théorie des ensembles de Zermelo-Fraenkel.** Andrzej MOSTOWSKI
26. **Théorie de l'approximation des fonctions d'une variable complexe.** Wolfgang H.J. FUCHS
27. **Les Fonctions multivalentes.** Walter K. HAYMAN
28. **Fonctionnelles analytiques et fonctions entières (n variables).** Pierre LELONG
29. **Applications of Functional Analysis to Extremal Problems for Polynomials.** Qazi Ibadur RAHMAN
30. **Topics in Complex Manifolds.** Hugo ROSSI
31. **Théorie de l'inférence statistique robuste.** Peter J. HUBER
32. **Aspects probabilistes de la théorie du potentiel.** Mark KAC
33. **Théorie asymptotique de la décision statistique.** Lucien M. LECAM
34. **Processus aléatoires gaussiens.** Jacques NEVEU
35. **Nonparametric Estimation.** Constance van EEDEN
36. **K-Théorie.** Max KAROUBI
37. **Differential Complexes.** Joseph J. KOHN
38. **Variétés hilbertiennes : aspects géométriques.** Nicolaas H. KUIPER
39. **Deformations of Compact Complex Manifold.** Masatake KURANISHI
40. **Grauert's Theorem on Direct Images of Coherent Sheaves.** Raghavan NARASIMHAN
41. **Systems of Linear Partial Differential Equations and Deformation of Pseudogroup Structures.** A. KUMPERA et D.C. SPENCER
42. **Analyse globale.** P. LIBERMANN, K.D. ELWORTHY, N. MOULIS, K.K. MUKHERJEA, N. PRAKASH, G. LUSZTIC et W. SHIH
43. **Algebraic Space Curves.** Shreeram S. ABHYANKAR
44. **Théorèmes de représentabilité pour les espaces algébriques.** Michael ARTIN
45. **Groupes de Barsotti-Tate et cristaux de Dieudonné.** Alexandre GROTHENDIECK
46. **On Flat Extensions of a Ring.** Masayoshi NAGATA
47. **Introduction à la théorie des sites et son application à la construction des préschémas quotients.** Masayoshi MIYANISHI
48. **Méthodes logiques en géométrie diophantienne.** Shuichi TAKAHASHI
49. **Index Theorems of Atiyah — Bott — Patodi and Curvature Invariants.** Ravindra S. KULKARNI
50. **Numerical Methods in Statistical Hydrodynamics.** Alexandre CHORIN
51. **Introduction à la théorie des hypergraphes.** Claude BERGE
52. **Automath, a Language for Mathematics.** Nicolaas G. DE BRUIJN
53. **Logique des topos (Introduction à la théorie des topos élémentaires).** Dana SCHLOMIUK
54. **La Série génératrice exponentielle dans les problèmes d'énumération.** Dominique FOATA
55. **Feuilletages : résultats anciens et nouveaux (Painlevé, Hector et Martinet).** Georges H. REEB

56. **Finite Embedding Theorems for Partial Designs and Algebras.** Charles C. LINDNER et Trevor EVANS
57. **Minimal Varieties in Real and Complex Geometry.** H. Blaine LAWSON, Jr
58. **La Théorie des points fixes et ses applications à l'analyse.** Kazimierz GEBA, Karol BORSUK, Andrzej JANKOWSKI et Edward ZHENDER
59. **Numerical Analysis of the Finite Element Method.** Philippe G. CIARLET
60. **Méthodes numériques en mathématiques appliquées.** J.F. Giles AUCHMUTY, Michel CROUZEIX, Pierre JAMET, Colette LEBAUD, Pierre LESAINT et Bertrand MERCIER
61. **Analyse numérique matricielle.** Paul ARMINJON
62. **Problèmes d'optimisation en calcul des probabilités.** Serge DUBUC
63. **Chaînes de Markov sur les permutations.** Gérard LETAC
64. **Géométrie différentielle stochastique.** Paul MALLIAVIN
65. **Numerical Methods for Solving Time-Dependent Problems for Partial Differential Equations.** Heinz-Otto KREISS
66. **Difference Sets in Elementary Abelian Groups.** Paul CAMION
67. **Groups in Physics : Collective Model of the Nucleus; Canonical Transformation in Quantum Mechanics.** Marcos MOSHINSKY
68. **Points fixes pour les applications compactes : espaces de Lefschetz et la théorie de l'indice.** Andrzej GRANAS
69. **Set Theoretic Methods in Homological Algebra and Abelian Groups.** Paul EKLOF
70. **Abelian p-Groups and Mixed Groups.** Laszlo FUCHS
71. **Integral Representations and Structure of Finite Group Rings.** Klaus W. ROGGENKAMP
72. **Homological Invariants of Modules over Commutative Rings.** Paul ROBERTS
73. **Representations of Valued Graphs.** Vlastimil DLAB
74. **Groupes abéliens sans torsion.** Khalid BENABDALLAH
75. **Lie Groups, Lie Algebras and Representation Theory.** Hans ZASSENHAUS
76. **Birational Geometry for Open Varieties.** Shigeru IITAKA
77. **Lectures on Hilbert Modular Surfaces.** Friedrich HIRZEBRUCH, Gerard van der GEER
78. **Complex Geometry in Mathematical Physics.** R.O. WELLS, Jr.
79. **Lectures on Approximation and Value Distribution.** Tord GANELIUS, Walter K. HAYMAN, Donald J. NEWMAN
80. **Sur la topologie des surfaces complexes compactes.** Srinivasacharyulu KILAMBI, Gottfried BARTHEL, Ludger KAUP
81. **Topics in Polynomial and Rational Interpolation and Approximation.** Richard S. VARGA
82. **Approximation uniforme qualitative sur des ensembles non bornés.** Paul M. GAUTHIER, Walter HENGARTNER

COLLECTION « CHAIRE AISENSTADT »
Physical Aspects of Lie Group Theory. Robert HERMANN
Quelques problèmes mathématiques en physique statistique. Mark KAC
La Transformation de Weyl et la fonction de Wigner : une forme alternative de la mécanique quantique. Sybren DE GROOT
Sur quelques questions d'analyse, de mécanique et de contrôle optimal. Jacques Louis LIONS
Mariages stables et leurs relations avec d'autres problèmes combinatoires. Donald E. KNUTH
Symétries, jauges et variétés de groupe. Yuval NE'EMAN
La Théorie des sous-gradients et ses applications à l'optimisation. Fonctions convexes et non convexes. R. Tyrrel ROCKAFELLAR